P9-CRS-053

Soupes du monde entier

Soupes du monde entier

Cet ouvrage a été réalisé par l'équipe de la Centrale d'Achats Maxi-Livres
Direction : Alexandre Falco
Responsable des publications : Françoise Orlando-Trouvé
Responsable du projet : Caroline Hoerni

Photographies et fabrication : Naumann & Göbel Verlagsgesellschaft mbH, Cologne
Traduction de l'allemand : Jocelyne Lévy
www.apollo-intermedia.de

Imprimé en Allemagne
ISBN 2-743-44631-5

Soupes du monde entier

Les plaisirs de la table

Sommaire

À table !

Manger quelque chose de chaud, une cuillerée
de soupe par exemple, peut être un véritable délice.
Ce livre contient plus de 1000 recettes faciles à réaliser.
Il ne tient qu'à vous d'en imaginer d'autres.
Mais pour commencer, voici quelques conseils
et tours de main.

L'homme se régale de soupes depuis longtemps déjà. Au fil des siècles, aucune autre préparation culinaire n'a inspiré autant de cuisiniers célèbres ou anonymes qui l'ont déclinée sur tous les tons.
Au Moyen Âge, les monastères jouaient un grand rôle en tant que centres de communication et de santé mais aussi parce qu'ils secouraient les pauvres. Dans de grands chaudrons, les moines faisaient mijoter des soupes nourrissantes dont se rassasiaient les plus démunis. Des distributions de soupe populaire ont eu lieu jusqu'au XXe siècle. En Allemagne, la soupe de pois cassés distribuée avec un petit pain par la brasserie Aschinger de Berlin est devenue mondialement célèbre.
Après la Deuxième Guerre mondiale, les cantines scolaires approvisionnées par les Alliés servaient surtout des soupes.
Cette alimentation roborative a contribué à remettre le pays sur les rails.
Il existe bien des histoires et des anecdotes à propos de la soupe. Enfant, le futur Frédéric II le Grand aurait été nourri essentiellement de soupes à la bière. Le roi Henri IV souhaitait que les paysans puissent manger une poule au pot le dimanche. La soupe à l'oignon est indissociable des Halles de Paris. En 1784, l'Américain Benjamin Thompson, originaire de Rumford dans le Massachusetts, a non seulement aménagé le Jardin anglais de Munich, à la demande du prince-électeur de Bavière, il a également réfléchi à la façon de permettre aux pauvres de manger à leur faim. Avec de la poitrine de porc, des pommes de terre, des bulbes et des racines, de l'orge, des petits pois, des herbes et des os, il a mitonné une soupe qui – et c'est un fait établi – était non seulement optimale par sa composition mais aussi bon marché et savoureuse si bien que les gourmets s'en emparèrent. Et c'est ainsi que Benjamin Thompson, devenu entre-temps comte Rumford, a donné son nom à une soupe passée à la « postérité culinaire ».
En Allemagne, tous les enfants connaissent l'histoire de Kaspar écrite par le Dr. Heinrich Hoffmann. Kaspar qui, cinq jours d'affilée, refusa de manger sa soupe, mourut d'inanition.
Pour convaincre les enfants de manger leur soupe, il n'est plus nécessaire de leur raconter de pareilles histoires. Et nul ne s'en plaindra. La soupe est devenue une préparation savoureuse dont se délectent petits et grands.

Bouillon

Pour se régaler, il faut respecter certains principes. C'est ainsi que la préparation d'une bonne soupe suppose l'utilisation d'un bouillon corsé et aromatique. Comme chacun sait, avec un kilo de viande, on peut obtenir une bonne soupe mais pas nécessairement un bon bouillon qui réclame du doigté aussi bien au niveau de la cuisson que de l'assaisonnement. Il faut se donner un peu de mal pour préparer un bouillon clair, veiller à ce qu'il frémisse sans jamais bouillir. Une forte température durcit la viande et la dessèche. Le bouillon risque également de devenir trouble. Si la viande est servie séparément, il faut s'efforcer de lui conserver une certaine onctuosité. Le bouillon sera filtré, éventuellement dégraissé et on rectifiera son assaisonnement.
Pour avoir de la saveur, un bouillon de viande doit être concentré. Il faut compter au moins 500 g de viande par litre d'eau ou de la viande et des os en quantités égales.
On distingue différents modes de préparation, d'où les diverses désignations.

Consommé

Il est préparé avec deux fois plus de viande, soit un kilo par litre ou à partir d'un bouillon – à savoir le liquide de cuisson de viande et d'os – dans lequel on fait cuire un bas morceau ou des abattis. C'est donc un bouillon de viande concentré. On fait la distinction entre le consommé simple, généralement constitué par le bouillon du pot-au-feu, et le consommé double, enrichi de substances aromatiques et nourrissantes.

Beeftea

C'est une préparation anglo-saxonne qui consiste à faire cuire au bain-marie, dans un récipient fermant hermétiquement, des morceaux de viande de bœuf maigre ou rôti. Il ne faut surtout pas ajouter d'eau. C'est ainsi que l'on obtient un jus concentré qu'il faut soigneusement filtrer et dégraisser. Préparé dans les règles de l'art, il est doré, clair et limpide. D'une très grande valeur nutritive, il se savoure en petite quantité.

On peut préparer un bouillon en n'employant qu'une seule viande, par exemple du bœuf, du veau, de l'agneau ou du gibier. Pour le corser, on peut les mélanger. Un morceau de porc, du petit salé ou du lard fumé rehausse la saveur du bouillon.
Il est déconseillé de préparer un bouillon uniquement avec du porc frais, ce qui lui donnerait un goût douceâtre. N'utiliser du porc que si d'autres viandes également entrent dans la composition du bouillon.

Garniture aromatique
Ne pas hésiter à aromatiser le bouillon, mais le faire avec modération. La garniture aromatique de base est un mélange poireau-carotte céleri-persil. Faute de produits frais, on peut utiliser des légumes congelés. Mal dosés, les baies de genièvre, les piments de la Jamaïque, les clous de girofle, les grains d'anis et de poivre de même que les graines de moutarde risquent de dénaturer le bouillon. Il faut retirer toutes ces substances aromatiques avant de servir le bouillon.
La noix muscade s'ajoute au dernier moment. Il en est de même de nombreuses fines herbes que l'on se contente de faire chauffer. Si elles cuisaient, elles perdraient leur goût ou deviendraient âcres.
Utiliser de préférence du gros sel marin gris ou encore de la fleur de sel, riche en éléments minéraux et en oligo-éléments.

Potages liés
Ils sont plus nourrissants que les bouillons clairs. On leur donne plus de consistance en fin de cuisson en leur ajoutant de la crème ou des jaunes d'œuf et parfois un peu de beurre. Les servir avec du pain et un morceau de fromage.

Veloutés
C'est un bouillon passé à l'étamine puis lié avec de la crème, du beurre ou un jaune d'œuf auquel on ajoute une garniture finale comme des pointes d'asperge. D'aspect lisse, le velouté est onctueux. Un velouté réussi est la fierté des cordons bleus.

Soupes froides
Elles sont délicieuses les jours de forte chaleur. La soupe « qui vient du froid » séduit même ceux qui auraient tendance à faire la grimace à l'énoncé de cette préparation. Le gaspacho, par exemple, évoque les vacances et le soleil de l'Espagne.

Bouillons légers
S'ils sont légers, les bouillons ne doivent pas être fades ou même insipides pour autant. Un bouillon de pigeon est un mets à la fois simple et délicat. Les pigeons d'élevage sont d'origine française, belge et hongroise. Ils sont vendus frais ou surgelés. Ils peuvent peser jusqu'à 600 g. Leur chair tendre et assez claire est très appréciée des gourmets. Elle est riche en protides et bien moins grasse que la chair de poulet, de canard ou d'oie, donc idéale pour qui veut s'alimenter de façon saine et équilibrée.

Potages santé
On les prépare à partir d'un bouillon de légumes bien corsé que l'on mélange éventuellement avec un bouillon de viande et que l'on peut compléter par une garniture (tapioca, fines herbes, brunoise de légumes, pousses de soja, céréales et autres). C'est le plein d'énergie assuré !

Conseils et tours de main

La moutarde donne aux soupes un arôme particulier. Un peu de moutarde au miel rehausse la saveur d'une soupe de légumes. Quelques gouttes de vinaigre à l'estragon exaltent le goût d'une soupe de poisson.

Les soupes se réchauffent sans problème. Certaines sont même meilleures réchauffées. C'est le cas de la soupe au chou par exemple.

Les soupes peuvent être préparées à l'avance et conservées au congélateur. Verser respectivement l'équivalent d'une portion dans des boîtes spéciales congélation ou des sachets alimentaires. Pendant la phase de solidification de la soupe, s'assurer que les sachets sont bien étanches en les plaçant dans des récipients. Lorsque la soupe forme un bloc bien dur, éliminer les récipients.

La congélation n'atténuant pas la saveur des aromates, mieux vaut ne pas les laisser dans la soupe dont il pourrait dénaturer le goût. Il est préférable de rectifier l'assaisonnement d'une soupe lorsqu'on l'a réchauffée.

Il est préférable de décongeler une soupe à température ambiante et de la réchauffer à petit feu.

Pour préparer un bouillon, utiliser des **carcasses** de volaille cuite ou crue de même que des abattis. S'il s'agit d'un consommé de poisson, utiliser des parures ou encore des carapaces de crustacés. Bien nettoyer les têtes de poisson, éliminer les branchies. Ne pas employer si possible d'arêtes de brochet ou de saumon qui troubleraient le consommé ou le fumet et lui donneraient un goût savonneux. Les fines herbes rehaussent la saveur des soupes. Souvent, quelques brins suffisent pour atteindre le résultat escompté. Pour conserver des fines herbes le plus longtemps possible, les laver, les effeuiller, les envelopper dans un torchon de cuisine humide que l'on glisse dans un sachet de congélation et les placer dans le bac à légumes. Avant de congeler des fines herbes, les ciseler et leur ajouter un peu d'eau. Les utiliser sans les faire décongeler.

Un **bouquet garni** se compose généralement d'un brin de persil, d'une feuille de laurier et d'une ou deux brindilles de thym, ficelées en petit fagot que l'on retire avant d'accommoder ou de servir la préparation ainsi aromatisée.

Dans du jambon blanc, découper avec un emporte-pièce des motifs amusants en forme de cœur, de lapin ou autre. Même les enfants qui renâclent sur la soupe trouveront cette garniture alléchante.

Petits et grands aiment les pâtes à potage. Choisir de préférence des pâtes de forme originale, la soupe n'en sera que plus appétissante. Au nombre des pâtes à potage, on trouve des anellinis, à savoir des petits anneaux souvent dentelés, des orecchiette, en forme de petites oreilles, des penninis ou plumes mais aussi des risonis qui rappellent les grains de riz, et tant d'autres encore. Les cheveux d'ange peuvent remplacer les vermicelles.

Délayer de la poudre de cèpes ou d'autres variétés dans un bouillon de champignons qui n'en sera que plus onctueux.

Si la soupe est suivie d'autres plats, prévoir une quantité de 250 ml par personne, si c'est le plat unique, servir environ 500 ml par personne pour que nul ne reste sur sa faim.

Soupes à la viande

Un bon bouillon de bœuf est à la base de bien des soupes particulièrement savoureuses. Les recettes peuvent varier indéfiniment comme vous le constaterez aux pages suivantes.

Bouillon de bœuf clair

Laver et essuyer **800 g de poitrine de bœuf**, couper en deux **1 oignon non épluché** et le faire frire du côté tranché, dans une poêle. Peler **1 petit morceau de céleri** et le couper grossièrement. Gratter **1 carotte** et la couper en morceaux. Nettoyer **1 poireau**, le laver et le couper en rondelles. Réunir la viande et les légumes dans une marmite et les recouvrir d'eau. Ajouter **1 c.s. de grains de poivre, 1 piment sec et 1 feuille de laurier**. Compter 1 heure 30 minutes de cuisson. Ensuite, passer à l'étamine. Récupérer tout ou partie des légumes. Servir la viande coupée en tranches.

(1 323 kj/315 kcal)

Bouillon piquant

Mélanger **50 ml de sauce au chili, 2 c.c. de sauce Worcester et 1 giclée de tabasco** avec **1 l de bouillon de bœuf clair.** Saupoudrer **de persil haché.**

(1 071 kj/242 kcal)

Consommé

Laver **2 tomates** et les couper en quartiers. Peler **2 oignons frais** et les émincer. Tremper tomates et oignons dans **1 œuf** battu. Faire cuire le tout dans **1 l de bouillon de bœuf clair.** Porter une fois à ébullition et servir.

(1 080 kj/257 kcal)

Consommé double

Faire cuire **800 g d'entrecôte** dans **1,5 l de bouillon de bœuf clair**. Peu avant la fin de la cuisson, ajouter **200 g de carottes en morceaux** et **350 g de chou-fleur divisé en bouquets**. Couper la viande en morceaux au moment de servir.

(3 492 kj/831 kcal)

« Bouillon piquant » comme base.

Soupe aux boulettes

Mélanger **120 g de chair à saucisse, 1 petit pain écrasé** et **1 œuf. Saler** et **poivrer**. Façonner des boulettes et les plonger dans **1 l de bouillon piquant et bien chaud.**

(1 676 kj/399 kcal)

Soupe aux croûtons

Faire frire dans **un peu de beurre 2 petits pains détaillés en croûtons** et mélangés à **1 œuf. Saler**, assaisonner de **noix muscade** et de **paprika**. Les ajouter à **1 l de bouillon piquant.**

(1 404 kj/334 kcal)

Soupe à la semoule

Faire mousser **30 g de beurre**. Ajouter **80 g de semoule** et **1 œuf**. Façonner des boulettes et les faire cuire dans **1 l de bouillon piquant**. Saupoudrer de **persil**.

(1 674 kj/398 kcal)

« Consommé » comme base.

Consommé aux pannequets

Mélanger **100 g de farine, 2 œufs, 0,25 l de lait** et **1 pincée de sel**. Faire frire les pannequets au **beurre**, les couper en lanières et les placer dans **1 l de consommé.**

(1 818 kj/433 kcal)

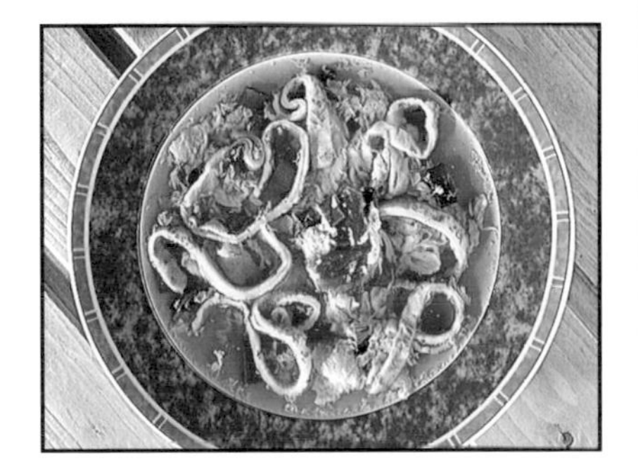

Consommé au riz

Faire chauffer **1 l de consommé**. Ajouter **150 g de riz cuit**. Assaisonner d'une cuillerée de **sauce soja**, de **cumin** et de **gingembre en poudre**.

(1 498 kj/356 kcal)

Soupe aux boulettes de foie

Hacher **120 g de foie**. Ajouter **1 oignon émincé** et **2 c.s. de farine. Saler** et **poivrer**. Façonner des boulettes et les plonger dans **1 l de consommé.**

(1 366kj/325 kcal)

« Consommé double » comme base.

Soupe au fenouil

Faire cuire **100 g de fenouil** finement tranché dans **1 l de consommé double** additionné de **2 c.s. de pernod**. Ajouter des pois jaunes au moment de servir.

(2 404 kj/572 kcal)

Zuppa pavese

Faire pocher **4 œufs** et griller **4 tranches de pain de mie complet**. Saupoudrer de **100 g de parmesan**. Répartir sur 4 assiettes et verser **1 l de consommé double.**

(3 381 kj/805 kcal)

Concassé

Peler et concasser **4 tomates**. Les faire revenir avec **1 gousse d'ail** et **1 échalote** dans de **l'huile chaude. Saler** et **poivrer**. Mouiller avec **1 l de consommé double.**

(2 585 kj/615 kcal)

Soupe russe

« Bouillon de bœuf clair » comme base.

Laver et couper en lanières **200 g de chou blanc.** Couper en bâtonnets **300 g de betteraves** épluchées.

Peler et émincer **3 échalotes.** Nettoyer **2 oignons frais** et les couper en rondelles.

Faire revenir le tout dans **3 c.s. de beurre clarifié.**

Mouiller avec **1 l de bouillon de bœuf clair.** Laisser frémir environ 10 minutes. **Saler** et **poivrer.**

Incorporer **250 g de crème fermentée, quelques brins d'aneth** lavé, essoré et ciselé ainsi que **2 c.s. de vodka.**

Servir la soupe dans des bols et parsemer **d'aneth.**
(2 205 kj/525 kcal)

Soupe à la marjolaine

« Bouillon de bœuf clair » comme base.

Laver, essorer et ciseler **quelques brins de thym, de marjolaine et de persil.**

Faire revenir **400 g de mélange printanier** dans **2 c.s. de beurre aux fines herbes.**

Mouiller avec **1 l de bouillon de bœuf clair.** Compter environ 6 minutes pour que les ingrédients s'imprègnent les uns des autres.

Incorporer **3 c.s. de raifort à la crème. Saler, poivrer** et assaisonner de **paprika.**

Râper **50 g d'emmenthal**, le répartir sur **2 tranches de pain de mie** coupées en deux. Faire gratiner.

Servir la soupe dans des bols, avec le pain.
(2 131 kj/507 kcal)

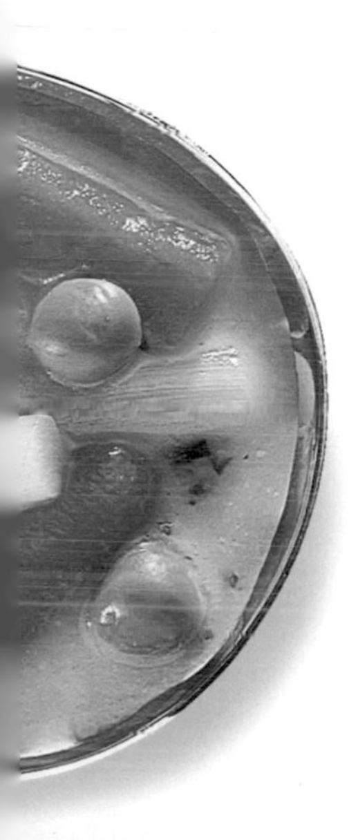

Soupe avec feuilleté

« Bouillon de bœuf clair » comme base.

Laver et trancher **250 g de fenouil.** Gratter et couper en rondelles **200 g de carottes.**

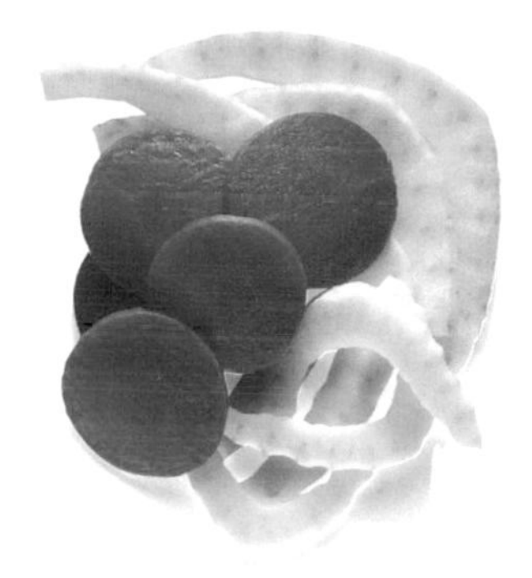

Égoutter **50 g de morilles** (en pot). Faire revenir les ingrédients dans **2 c.s. de beurre au poivre** bien chaud.

Mouiller avec **1 l de bouillon de bœuf clair**. Laisser frémir environ 7 minutes.

Avec **200 g de pâte feuilletée** façonner des disques au diamètre des bols à soupe. Battre **1 œuf.**

Saler, poivrer et assaisonner d'un peu de **piment en poudre**. Verser la soupe dans des bols et poser un couvercle de pâte feuilletée. Badigeonner d'œuf puis faire dorer sous le gril.

Parsemer de **persil** au moment de servir.
(2 254 kj/536 kcal)

Soupe à l'oignon

« Bouillon de bœuf » comme base.

Éplucher et couper en rondelles **150 g d'oignons rouges.** Éplucher et presser **2 gousses d'ail.**

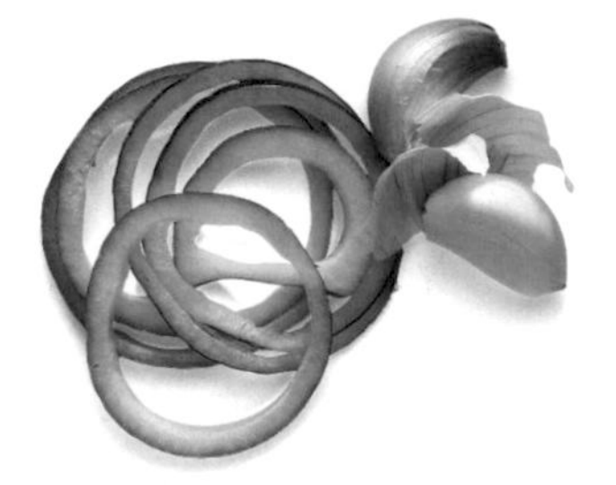

Laver, essorer et ciseler **1 demi-bouquet de persil.** Faire revenir l'ail, les oignons et le persil dans **3 c.s. d'huile.**

Mouiller avec **1 l de bouillon de bœuf clair** additionné d'un peu de **jus de citron** et de **100 ml de vin blanc.** Attendre environ 5 minutes avant de servir.

Saler, poivrer et assaisonner d'un peu de **piment.**
(1 638 kj/390 kcal)

Soupe paysanne

« Soupe à l'oignon » comme base.

Éplucher, laver et couper en dés **300 g de patates douces.**

Les ajouter à **1 l de soupe à l'oignon.** Assaisonner **d'une pointe de piment de Cayenne.** Compter environ 10 mi- nutes de cuisson.

Ajouter **quelques brins d'origan** et **de thym** lavés, essorés et effeuillés.

Servir la soupe dans des assiettes.
(1 934 kj/460 kcal)

Soupe à la moelle

« Soupe paysanne » comme base.

Faire cuire env. 1 h. **3 os à moelle** et **600 g de bas morceaux** dans **1,5 l de soupe paysanne.**

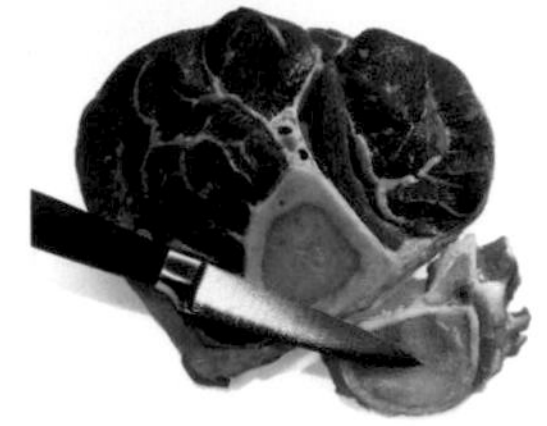

Retirer la viande et les os. Laisser refroidir. Couper la viande en morceaux. Extraire la moelle. La mélanger avec **1 œuf et 50 g de farine.** Façonner des boulettes.

Les mettre dans la soupe ainsi que la viande. **Saler, poivrer** et assaisonner de **paprika.**

Servir dans des assiettes.
(3 521 kj/838 kcal)

Soupe oignons-piments

« Soupe à la moelle » comme base.

Laver, épépiner et hacher finement **100 g de piments rouges et verts.** Les ajouter à 1 l de soupe de base, de même que **100 g de maïs en boîte et 2 c.s. de tequila**. Laisser les arômes s'exhaler env. 8 min.

(4 951 kj/1 179 kcal)

Soupe Santa Fe

« Soupe oignons-piments » comme base.

Faire chauffer dans **1 l de soupe oignons-piments 280 g de haricots kidney** égouttés. Ajouter **3 c.s. de sauce piquante. Saler, poivrer** et assaisonner de **paprika.**

(4 951 kj/1 179 kcal)

Soupe et tortillas

« Soupe Santa Fe » comme base.

Malaxer **200 g de farine de maïs avec 150 ml d'eau** et un peu de **sel**. Façonner des boulettes. Les abaisser et faire frire dans **4 c.s. d'huile d'olive** chaude. Servir avec **1 l de soupe Santa Fe.**

(6 085 kj/1 449 kcal)

Suggestion

Servies dans une boule de pain dont on a retiré la mie, les soupes sont particulièrement appétissantes.

Soupe de haricots

« Bouillon de bœuf clair » comme base.

Cuire environ 10 minutes **300 g de pommes de terre** épluchées et coupées en dés dans **1 l de bouillon de bœuf clair.** Égoutter **300 g de haricots en boîte.**

Nettoyer, laver et couper en lanières **200 g de chou pointu.** Laver et ciseler **quelques brins de sarriette.**

Ajouter tous ces ingrédients aux pommes de terre. **Saler, poivrer** et assaisonner de **paprika.**

Servir dans des bols à soupe.
(1 823 kj/434 kcal)

Soupe riz-tomates

« Bouillon de bœuf clair » comme base.

Peler **2 oignons** et les couper en rondelles. Éplucher et presser **2 gousses d'ail.** Laver et couper en quartiers **6 tomates.**

Laver, effeuiller et ciseler **quelques brins de basilic et d'estragon.**

Faire revenir les ingrédients dans **2 c.s. d'huile.** Mouiller avec **1 l de bouillon de bœuf clair.** Laisser frémir environ 8 minutes et ajouter **200 g de riz** cuit à part.

Saler, **poivrer** et assaisonner de **paprika**. Servir dans des bols à soupe.
(1 635 kj/389 kcal)

Soupe aux pannequets

« Bouillon de bœuf clair » comme base.

Nettoyer, laver et couper en morceaux **100 g de pleurotes et 200 g de champignons de Paris blancs** et **bistres.**

Peler **4 oignons frais** et les émincer. Faire revenir les ingrédients dans **2 c.s. de beurre** fondu.

Mouiller avec **1 l de bouillon de bœuf clair. Saler** et **poivrer**. Couper en lanières **200 g de pannequets** (prêts à l'emploi).

Les ajouter à la soupe servie dans des bols.
(1 911 kj/455 kcal)

Bouillon avec pain et œuf

« Bouillon de bœuf clair » comme base.

Couper en deux **4 tranches de pain de mie.** Éplucher **2 gousses d'ail,** les presser et en enduire le pain. Le faire frire dans **2 c.s. d'huile.** Dans un faitout, chauffer **1 l de bouillon de bœuf.**

Laver et ciseler **1 botte de ciboulette.** Battre **4 œufs. Saler, poivrer** et assaisonner de **noix muscade.** Ajouter la ciboulette.

Disposer le pain dans des assiettes creuses. Verser dessus la soupe. Faire couler l'œuf. Râper **100 g de parmesan.**

Servir la soupe saupoudrée de parmesan.
(2 420 kj/576 kcal)

Soupe niçoise

« Bouillon de bœuf clair » comme base.

Laver et couper en quartiers **100 g de tomates cerises.** Effiler et laver **100 g de haricots verts.**

Chauffer **1 l de bouillon de bœuf clair** dans un faitout. Ajouter les légumes et **100 g de pâtes à potage.** Compter environ 5 minutes de cuisson.

Saler et **poivrer.** Laver et effeuiller **quelques brins de cerfeuil.**

Servir la soupe dans des bols et la saupoudrer de pluches de cerfeuil.
(1 085 kj/258 kcal)

Soupe au chou-fleur

« Bouillon de bœuf clair » comme base.

Faire chauffer **1/8 l de lait** et **30 g de beurre. Saler** et ajouter **125 g de farine.** Laisser refroidir et incorporer **2 œufs.**

Ajouter **quelques brins de ciboulette** lavée et ciselée. Façonner des boulettes.

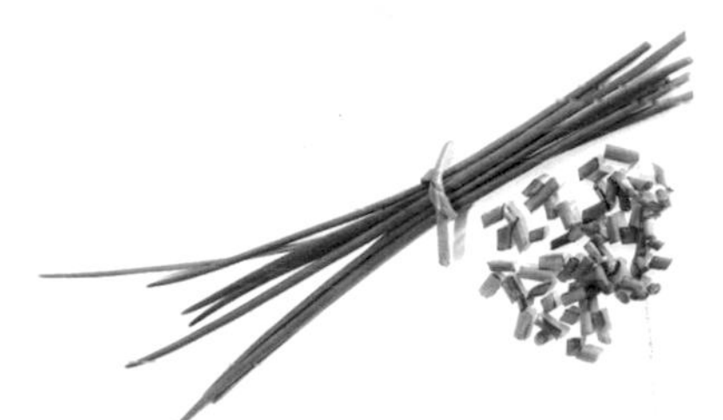

Chauffer **1 l de bouillon de bœuf clair** dans un faitout. Y faire cuire les boulettes environ 10 minutes. Ajouter **200 g de chou-fleur en bouquets.**

Servir la soupe dans des bols, avec une **cuillerée de crème fraîche.**
(1 916 kj/456 kcal)

Bouillon de bœuf foncé

Laver et essuyer **600 g d'os, 350 g de queue de bœuf** et **350 g de plat de côtes.** Couper en deux **1 gros oignon.** Faire revenir le tout dans **4 c.s. de beurre.** Ajouter **2 garnitures aromatiques** et **10 grains du mélange cinq-baies.** Mouiller avec **1,5 l d'eau** et cuire à petit feu env. 2 heures. 30 minutes avant la fin de la cuisson, ajouter **2 tomates coupées en quartiers.** Ensuite, filtrer le bouillon après avoir retiré la viande et les os. Servir à part la viande coupée en tranches.

(1 233 kj/300 kcal)

Bouillon au vin rouge

Verser **5 c.s. de vin rouge** dans **1 l de bouillon de bœuf foncé** et délayer **50 g de concentré de tomate.** Faire frémir environ 6 minutes. **Saler, poivrer** et assaisonner de **paprika.** Saupoudrer **de fines herbes.**

(1 283 kj/313 kcal)

Bouillon aux poireaux

Laver et couper en rondelles **250 g de poireau.** Les faire suer dans **3 c.s. de beurre additionné d'oignons frits.** Mouiller avec **1 l de bouillon de bœuf foncé** et **2 c.s. de xérès.** Faire cuire à petit feu environ 8 minutes.

(1859 kj/419 kcal)

Bouillon aux champignons

Laver et couper en morceaux **200 g de pleurotes.** Les faire revenir dans **3 c.s. de beurre aux fines herbes.** Mouiller avec **1 l de bouillon de bœuf foncé** et **1 cl de kirsch.** Faire cuire à petit feu environ 6 minutes.

(1 713 kj/408 kcal)

« Bouillon au vin rouge » comme base.

Bouillon au pain brioché

Préparer **200 g de pain brioché** en se conformant aux indications sur le paquet. Le couper en losanges dans des assiettes et verser **1 l de bouillon au vin rouge.**

(1 566 kj/373 kcal)

Soupe de minuit

Chauffer dans un faitout **1/8 l de jus de légumes** et **1/8 l de jus de tomate.** Ajouter **2 gousses d'ail** pressées, **800 ml de bouillon au vin rouge** et **200 ml de vin rouge.**

(691 kj/164 kcal)

Bouillon persillé

Façonner des boulettes avec **200 g de chair à saucisse** additionnée de **persil ciselé.** Les faire cuire environ 8 minutes dans **1 l de bouillon au vin rouge.** Saupoudrer de persil.

(1 953 kj/465 kcal)

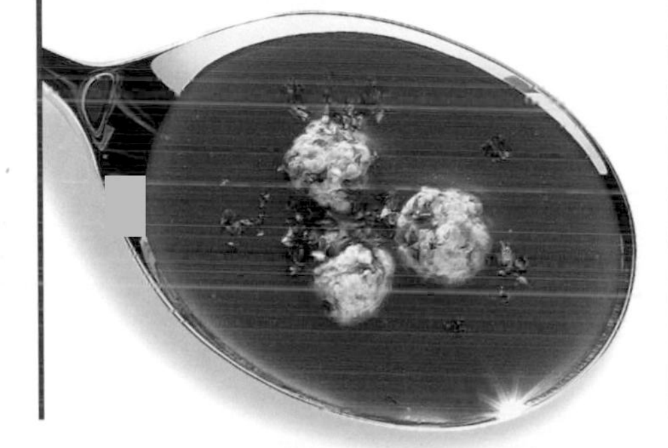

« Bouillon aux poireaux » comme base.

Soupe étoilée

Cuire *al dente* (env. 4 minutes) **80 g de pâtes en forme d'étoiles** dans **1 l de bouillon aux poireaux. Saler, poivrer** et assaisonner de **noix muscade.** Parsemer de **persil.**

(2 065 kj/491 kcal)

Bouillon au bacon

Dans **2 c.s. d'huile,** faire revenir, env. 5 min, **50 g de pommes de terre** (en bocal) coupées en dés et **50 g de bacon** détaillé en lanières. Ajouter **1 l de bouillon aux poireaux.**

(2395 kj/570 kcal)

Velouté à la crème

Égoutter resp. **3 c.s. de céleri** et de **carottes** (en bocal). Faire revenir dans **3 c.s. de beurre.** Ajouter **1 l de bouillon de base** et **3 c.s. de crème fermentée.**

(1928 kj/459 kcal)

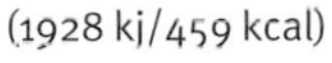

« Bouillon aux champignons » comme base.

Bouillon aux salsifis

Dans **50 g de chapelure** mélangée à **1 œuf**, paner **200 g de salsifis** (en bocal) **égouttés.** Les frire dans **3 c.s. d'huile.** Les servir dans des bols, avec le bouillon de base.

(2 743 kj/653 kcal)

Bouillon au gorgonzola

Verser le **bouillon aux champignons** dans des bols. Répartir **100 g de gorgonzola.** Ajouter **un peu de poivre citronné** et faire gratiner au four.

(2 117 kj/504 kcal)

Bouillon lié

Faire dorer dans de l'huile aillée **4 tranches de pain de mie** coupées en dés. Mouiller avec **1 l de bouillon aux champignons.** Délayer **3 jaunes d'œuf** et **4 c.s. de lait condensé.**

(2 914 kj/694 kcal)

Soupe à l'anglaise

« Bouillon de bœuf foncé » comme base.

Égoutter **600 g de fèves** (en boîte) et couper en dés **100 g de corned-beef.**

Peler et émincer **3 échalotes.** Faire revenir les fèves, les échalotes et le corned-beef dans **3 c.s. de beurre.**

Mouiller **avec 1 l de bouillon de bœuf foncé** et laisser frémir environ 8 minutes.

Laver, essorer et ciseler **quelques brins de sarriette** et **de marjolaine.**

Incorporer **les fines herbes. Saler, poivrer** et assaisonner de **piment en poudre.**

Servir dans des bols la soupe parsemée de sarriette.
(2 195 kj/522 kcal)

Soupe à l'orge perlé

« Bouillon de bœuf foncé » comme base.

Porter à ébullition **1 l d'eau avec 150 g d'orge perlé.** Rafraîchir immédiatement. Puis, faire cuire env. 60 min dans **1 l de bouillon.**

Couper en lanières **200 g de bacon.** Gratter et couper en rondelles **200 g de carottes.** Éplucher et couper en dés **200 g de pommes de terre.**

Chauffer **2 c.s. de beurre** dans un faitout et faire revenir le bacon et les légumes. Mouiller avec le bouillon et compter 15 minutes de cuisson.

Ajouter **3 c.s. de whisky. Saler** et **poivrer.**

Laver et ciseler **quelques brins de persil** et **de ciboulette.**

Servir la soupe dans des bols et parsemer de fines herbes.
(4 298 kj/1 023 kcal)

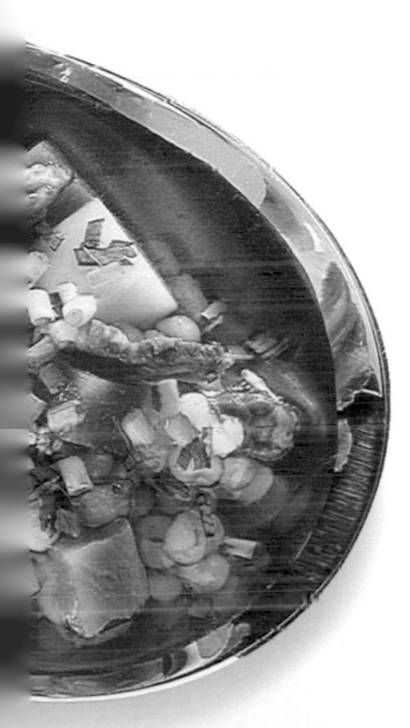

Soupe riz-fenouil

« Bouillon de bœuf foncé » comme base.

Cuire **150 g de riz sauvage** dans **1,5 l de bouillon de bœuf foncé.**

Laver et trancher **4 bulbes de fenouil.** Laver et concasser **2 tomates.** Peler et émincer **2 oignons.**

Faire revenir les légumes dans **3 c.s. d'huile.**

Saler, poivrer et assaisonner d'un peu de **piment en poudre.** Ajouter **1 gousse d'ail** pressée. Mouiller avec le bouillon.

Râper **100 g de parmesan.** Ciseler quelques **brindilles de fenouil.**

Incorporer le fromage et servir la soupe parsemée de fenouil.
(3 616 kj/861 kcal)

Soupe queue de bœuf

« Bouillon de bœuf foncé » comme base.

Couper **750 g de queue de bœuf** et faire rissoler les morceaux dans de **l'huile** bien chaude.

Mouiller avec **1,5 l de bouillon de bœuf foncé.** Cuire à petit feu env. 2 h. Éplucher et couper en morceaux **2 bulbes de persil.** Éplucher et couper en rondelles **4 oignons frais.**

Faire revenir les légumes dans **2 c.s. de beurre.** Ajouter **2 gousses d'ail** pressées. **Saler** et assaisonner du **mélange cinq-baies.**

Au bout d'environ 2 h. mettre les légumes dans le bouillon. Laisser frémir environ 10 minutes. Ajouter **2 c.s. de cognac.** Détacher la viande des os.

(3 620 kj/862 kcal)

Soupe de bœuf et klösse

« Soupe queue de bœuf » comme base.

Faire fondre dans une poêle **60 g de moelle de bœuf.** Ajouter **1 œuf** et battre jusqu'à obtention d'un mélange moussant.

Ajouter **4 tranches de pain de mie** trempées dans un peu de **lait** puis pressées. **Saler, poivrer** et assaisonner de **noix muscade.**

Façonner des boulettes et les faire cuire dans **1 l de soupe queue de bœuf**. Laver et ciseler **quelques brins de persil et de livèche**.

Servir la soupe parsemée de fines herbes.

(3 158 kj/752 kcal)

Soupe à la jardinière

« Soupe de bœuf et klösse » comme base.

Laver et diviser en bouquets **200 g de chou-fleur** dont **100 de romanesco.**

Nettoyer, laver et couper en tronçons **100 g de céleri-branche**. Gratter, laver et couper en dés **100 g de carottes.**

Faire chauffer la soupe de base et y cuire les légumes. Ajouter **100 ml de vin rouge.**

Servir la soupe dans des assiettes.

(3 288 kj/783 kcal)

Soupe à l'oseille

« Soupe à la jardinière » comme base.

Peler et couper en morceaux **200 g de concombre.** Laver et couper en lanières **50 g d'oseille.** Mouiller avec **1,5 l de soupe.** Ajouter **200 g de crème fermentée.**

(3 776 kj/899 kcal)

Soupe aux herbes

« Soupe à l'oseille » comme base.

Égoutter **600 g de choucroute à l'ananas** (en boîte). Faire revenir dans **2 c.s. de graisse d'oie.** Mouiller avec **1 l de soupe.** Ajouter **3 c.s. de concentré de tomate. Saler** et **poivrer.**

(4 085 kj/972 kcal)

Soupe de bœuf épaisse

« Soupe aux herbes » comme base.

Faire un roux avec **2 c.s. de farine et 2 c.s. d'huile de noix.** Mouiller avec **1 l de soupe aux herbes** et **200 ml de vin rouge.** Ajouter quelques **brindilles de thym** lavé et ciselé.

(4771 kJ/1136 kcal)

Suggestion

Servie dans une assiette en verre, la soupe n'est que plus appétissante. L'accompagner de rondelles de baguette.

Soupe de lentilles

« Bouillon de bœuf foncé » comme base.

Peler et couper en rondelles **6 échalotes** et les faire revenir dans **2 c.s. de beurre.** Mouiller avec **1 l de bouillon de bœuf foncé.**

Ajouter **200 g de lentilles oranges.** Cuire à couvert environ 15 minutes. **Saler, poivrer** et assaisonner de **coriandre en poudre**

Couper en lanières **300 g de langue cuite** et l'ajouter en fin de cuisson. Laver et ciseler **quelques brins de ciboulette.**

Servir la soupe.
(2 711 kj/645 kcal)

Soupe au chou

« Bouillon de bœuf foncé » comme base.

Laver, essuyer et couper en dés **600 g d'échine de porc**. Faire cuire dans **1 l de bouillon de bœuf foncé.**

Éplucher et couper en dés **600 g de pommes de terre**. Peler et émincer **4 oignons.** Laver et couper en lanières **500 g de chou frisé**. Tout incorporer au bouillon environ 15 minutes avant la fin de la cuisson.

Saler, poivrer et assaisonner de **cumin** (1 c.c.). Ajouter **50 ml de bière.**

Servir la soupe.
(3 370 kj/802 kcal)

Soupe hongroise

« Bouillon de bœuf foncé » comme base.

Éplucher et couper en quartiers **500 g de pommes**. Les **citronner.**

Laver et couper en lanières **500 g de poivrons rouges et verts.**

Les faire revenir avec les pommes dans **3 c.s. de beurre aux fines herbes.** Mouiller avec **1 l de bouillon**. Compter environ 8 minutes de cuisson à petit feu.

Faire chauffer dans la soupe **80 g de salami coupé en dés** et servir.
(1835 kJ/437 kcal)

Soupe aux pâtes vertes

« Bouillon de bœuf foncé » comme base.

Cuire *al dente* **250 g de farfalles vertes**. Ajouter **2 gousses d'ail** épluchées et pressées.

Nettoyer, épépiner et couper en morceaux **2 piments verts**. Laver et couper en lanières **75 g d'ail sauvage** et **75 g de cresson.**

Faire revenir les ingrédients dans **2 c.s. d'huile. Saler** et **poivrer**. Mouiller avec **1 l de bouillon de bœuf foncé** et râper **100 g d'appenzell**.

Égoutter les pâtes, les mettre dans la soupe et saupoudrer de fromage.
(2 264 kj/539 kcal)

Soupe à la niçoise

« Bouillon de bœuf foncé » comme base.

Laver et couper en quartiers **100 g de tomates cerises.** Effiler et nettoyer **100 g de haricots verts.**

Couper en dés **100 g de pommes de terre** (en bocal) égouttées. Dans un faitout, faire chauffer **1 l de bouillon de bœuf foncé** et ajouter les pommes de terre. Compter environ 5 minutes de cuisson.

Saler et **poivrer**. Laver et effeuiller quelques **brins de cerfeuil.**

Servir la soupe parsemée de pluches de **cerfeuil.**
(978 kj/233 kcal)

Soupe à la mode arabe

« Bouillon de bœuf foncé » comme base.

Peler et émincer **1 oignon.** Laver et ciseler **2 bouquets de persil.**

Malaxer **300 g de hachis de bœuf**, les oignons et le persil. **Saler, poivrer** et assaisonner de **piment en poudre.**

Ajouter **des épices en poudre (clou de girofle, anis** et **gingembre).** Façonner des boulettes et les faire cuire environ 10 minutes dans **1 l de bouillon de bœuf foncé.**

Ajouter un peu de **crème fraîche** au moment de servir.
(1 395 kj/332 kcal)

Bouillon de veau

Laver et essuyer **600 g de collier et 350 g d'os de veau**. Laver et couper en brunoise **2 garnitures aromatiques.** Peler et hacher grossièrement **3 oignons**. Laver, essorer et ciseler **2 bouquets de persil**. Faire revenir tous les ingrédients dans **4 c.s. de beurre. Saler, poivrer**, ajouter **1 feuille de laurier et 6 piments de la Jamaïque.** Couvrir avec de l'eau. Compter env. 1 heure 30 minutes de cuisson à petit feu. Quand la viande est cuite, la retirer avec les os. Ensuite, filtrer le bouillon. Servir la viande coupée en tranches.

(1 428 kj/340 kcal)

Bouillon de veau froid

Réserver au froid, pendant 12 heures, **1 l de bouillon de veau.** Bien le dégraisser et le saler éventuellement. Ajouter **4 c.s. de cognac**. Parsemer le bouillon **de fines herbes** et le servir avec des **rondelles de baguette**.

(1 381 kj/329 kcal)

Bouillon veau-herbes

Laver, essorer et ciseler **quelques brins de thym** et **d'origan**. Dans un faitout, faire chauffer **1 l de bouillon de veau** et ajouter les fines herbes. **Saler, poivrer** et assaisonner de **noix muscade**. Servir dans des bols à soupe.

(972 kj/231 kcal)

Bouillon veau-xérès

Laver et couper en dés **500 g de veau fumé.** Faire cuire la viande à petit feu, env. 1 heure, dans **1,5 l de bouillon de veau**. Ajouter **2 c.s. de xérès sec. Saler, poivrer** et assaisonner de **noix muscade.**

(2 136 kj/508 kcal)

« Bouillon de veau froid » comme base.

Bouillon veau-citron

Presser **1 citron non traité** et râper le zeste. Laver et ciseler quelques **brins de mélisse.** Incorporer le tout à **1 l de bouillon de veau froid.**
(1 005 kj/239 kcal)

Consommé de veau

Mélanger **0,25 cl de jus de légumes, 1 c.s. de sauce au chili** et **800 ml de bouillon de veau froid.** Ajouter **6 tomates cerises** lavées et coupées en deux. Parsemer de **basilic.**
(882 kj/210 kcal)

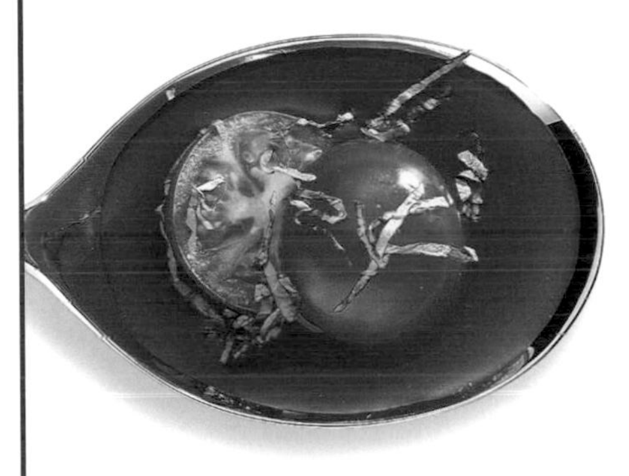

Bouillon de veau frappé

Congeler **200 g de fines herbes ciselées** (persil, estragon, cerfeuil) mélangées à **200 ml de vin blanc.** Répartir dans des bols **800 ml de bouillon de veau froid**. Ajouter les herbes surgelées.
(1 071 kj/255 kcal)

« Bouillon de veau aux herbes » comme base.

Soupe à la polenta

Peler et émincer **1 oignon**. Le faire dorer avec **80 g de polenta** dans **2 c.s. de beurre** à l'ail. Mouiller avec **1 l de bouillon** et laisser brièvement frémir.
(1 619 kj/385 kcal)

Bouillon de veau lié

Peler et hacher finement **2 échalotes.** Les faire suer dans **3 c.s. de beurre clarifié.** Ajouter **100 g de jambon coupé en dés** et **50 g de farine.** Mouiller avec **1 l de bouillon.** Incorporer **1 jaune d'œuf.**
(1 816 kj/432 kcal)

Soupe à l'appenzell

Mélanger **40 g de farine** à **60 g de beurre à l'ail.** Mouiller avec **1 l de bouillon de veau.** Incorporer **100 g d'appenzell râpé** et **2 cl d'eau-de-vie de poire. Saler,** et assaisonner de **piment en poudre.**
(2 032 kj/484 kcal)

« Bouillon de veau au xérès » comme base.

Soupe aux flocons

Dorer **100 g de flocons d'avoine** dans **3 c.s. de beurre au poivre.** Mouiller avec **1 l de bouillon.** Incorporer **1 œuf battu. Saler, poivrer** et assaisonner de **noix muscade.**
(2 168 kj/516 kcal)

Soupe aux petits pois

Cuire **300 g de petits pois surgelés** dans **1 l de bouillon.** Ajouter **1 bouquet de persil** lavé et ciselé. **Saler, poivrer** et assaisonner de **noix muscade.**
(1 803 kj/429 kcal)

Soupe aux œufs battus

Monter **3 blancs d'œuf** en neige. Battre **3 jaunes d'œuf** additionnés de **15 g de farine. Saler, poivrer** et ajouter du **piment en poudre.** Incorporer les blancs et verser cette préparation dans **1 l de bouillon.**
(1 515 kj/360 kcal)

Soupe « bistrot »

« Bouillon de veau » comme base.

Dorer **100 g de céréales dans 2 c.s. de beurre au paprika.** Mouiller avec **1,5 l de bouillon**. Laisser frémir environ 30 minutes.

Éplucher et couper en dés **200 g de pommes de terre.** Laver et couper en rondelles **200 g de poireaux.** Faire revenir ces ingrédients dans **3 c.s. de beurre aux fines herbes.**

Mouiller avec **1 l de bouillon de veau**. Laisser frémir environ 7 minutes.

Saler et ajouter du **poivre multicolore** de même que **2 gousses d'ail** épluchées et pressées.

Couper en morceaux **2 filets d'anchois.** Les incorporer à la soupe, de même que **1 c.s. de câpres.** Ajouter **quelques gouttes de xérès.**

Servir la soupe dans des bols. Parsemer de **persil**.
(1 948 kj/464 kcal)

Soupe aux brocolis

« Bouillon de veau » comme base.

Dorer **100 g de céréales** dans **2 c.s. de beurre au paprika.** Mouiller avec **1,5 l de bouillon**. Laisser frémir environ 30 minutes.

Nettoyer, laver et diviser en bouquets **200 g de brocolis.** Les faire suer dans **1 c.s. de beurre,** avec **1 gousse d'ail** épluchée et pressée.

Ajouter ces ingrédients au bouillon. Compter environ 5 minutes de cuisson à petit feu.

Incorporer **4 c.s. de tomato al gusto. Saler, poivrer** et assaisonner de **paprika.**

Détailler **150 g de fromage de chèvre** en copeaux. Laver et ciseler **quelques brins de basilic.**

Servir la soupe dans des bols. Parsemer de **basilic** et de **fromage**
(3 559 kj/847 kcal)

Soupe à l'aigre-doux

« Bouillon de veau » comme base.

Égoutter **500 g de courge à l'aigre-doux.** Nacrer **200 g de riz** dans **2 c.s. de beurre.** Mouiller avec **1 l de bouillon.** Laisser frémir environ 15 minutes.

Éplucher et couper en dés **2 échalotes.** Les faire revenir avec la courge dans **3 c.s. de beurre.**

Incorporer au riz. Compter environ 5 minutes de cuisson à petit feu.

Ajouter **60 g de raisins secs** et **quelques brins de coriandre** lavée et effeuillée.

Saler, forcer sur **la cannelle** et **la moutarde en poudre.**

Servir la soupe dans des bols. Parsemer **de coriandre.**
(2 497 kj/594 kcal)

Bouillon « Lucille «

« Bouillon de veau » comme base.

Travailler **40 g de beurre** jusqu'à ce qu'il mousse. Ajouter **60 g de jambon cuit** coupé en dés. **Saler.**

Tremper **70 g de mie de pain** dans **2 œufs** battus. Ajouter les dés de jambon. Façonner des boulettes avec la préparation.

Les faire cuire à petit feu environ 10 minutes dans **1 l de bouillon**. Laver, essorer et ciseler **1 botte de ciboulette. Saler** et **poivrer.**

Servir la soupe dans des assiettes. La parsemer de **ciboulette**
(1 808 kJ/430 kcal)

Soupe au chou-rave

Bouillon « Lucille » comme base.

Éplucher, laver et couper finement **100 g de chou-rave.** Laver, essorer et ciseler **1 bouquet de basilic.**

Faire suer le chou-rave et le basilic dans **2 c.s. de beurre aux fines herbes.** Ajouter **2 c.s. de graines de courge.**

Mouiller avec **1 l de bouillon** et compter environ 5 minutes de cuisson à petit feu. Battre **2 œufs** dans un bol.

Les faire glisser dans le bouillon. Servir quand les ingrédients se sont imprégnés les uns des autres.
(2 333 kJ/555 kcal)

Soupe printanière

« Soupe au chou-rave » comme base.

Nettoyer, laver et couper en rondelles **1 botte d'oignons frais.** Gratter, laver et couper en rondelles **100 g de carottes.**

Faire suer ces ingrédients dans **2 c.s. de beurre clarifié. Saler, poivrer** et assaisonner de **paprika.**

Mouiller avec **1 l de soupe au chou-rave.** Compter environ 3 minutes de cuisson. Ajouter **1 gousse d'ail** épluchée et pressée.

Servir la soupe dans des assiettes.
(2 709 kJ/645 kcal)

Soupe d'automne

« Soupe printanière » comme base.

Effiler et laver **100 g de haricots verts.** Les faire revenir, avec **100 g de pommes de terre** coupées en dés, dans **2 c.s. de beurre.** Ajouter **100 g de garniture aromatique surgelée.** Mouiller avec **1 l de soupe de base.**

(2 973 kj/708 kcal)

Soupe aux morilles

« Soupe d'automne » comme base.

Faire tremper dans **300 ml de bouillon de veau 50 g de morilles séchées.** Les égoutter puis les faire revenir dans **2 c.s. de beurre au poivre.** Les ajouter, avec le bouillon, à la soupe de base.

(3 880 kj/924 kcal)

Soupe viande-légumes

« Soupe aux morilles » comme base.

Laver et couper en lanières **250 g d'escalope de veau.** Fariner et faire frire dans **2 c.s. d'huile d'olive. Saler, poivrer** et assaisonner de **paprika.** Répartir sur 4 assiettes et verser la soupe.

(4 429 kj/1 054 kcal)

Suggestion

Faire cuire au four, dans du papier d'aluminium, des pommes de terre. Les évider et servir la soupe dans les coffres.

Soupe au porto

« Bouillon de veau » comme base.

Laver et couper en quartiers **400 g de tomates.** Les plonger environ 5 minutes dans **1 l de bouillon** bien chaud puis les réduire en purée.

Laver et effeuiller **quelques brins d'origan** et de **thym.** Les ajouter à la soupe et attendre qu'ils développent tous leurs arômes.

Saler, poivrer et assaisonner de **clou de girofle en poudre.** Délayer dans de l'eau **1 c.s. de fécule** et l'incorporer à la soupe.

Ajouter **3 c.s. de porto.** Servir la soupe dans des bols. Délayer **un peu de crème fermentée.**

(1 189 kJ/283 kcal)

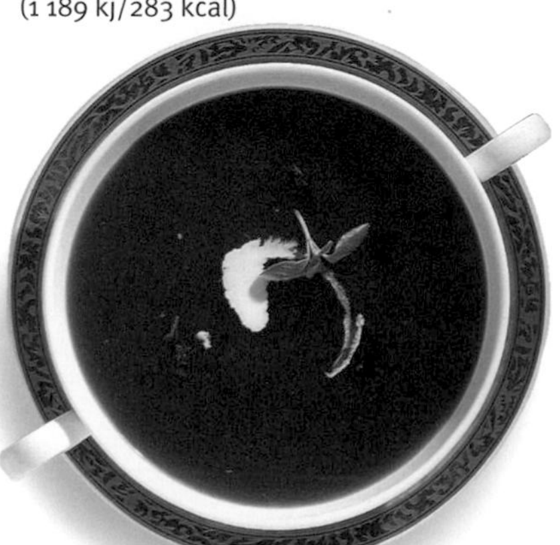

Soupe aux escargots

« Bouillon de veau » comme base.

Laver et escaloper **200 g de champignons.** Laver, essorer et ciseler **1 bouquet de persil.**

Égoutter **200 g d'escargots en boîte.** Les faire revenir avec le persil dans **2 c.s. de beurre aux fines herbes.**

Ajouter **2 gousses d'ail** épluchées et pressées. **Saler, poivrer** et assaisonner de **piment en poudre.** Mouiller avec **1 l de bouillon.** Laisser les saveurs s'exhaler environ 6 minutes.

Ajouter un **jaune d'œuf** battu. Quand il est pris, servir la soupe.

(1582 kJ/376 kcal)

Soupe aux poires

« Bouillon de veau » comme base.

Éplucher et couper en quartiers **600 g de poires.** Les citronner.

Peler et émincer **100 g d'oignons frais.** Faire rissoler **200 g de lardons** dans une poêle. Ajouter les oignons et les poires.

Mouiller avec **800 ml de bouillon de veau** et **200 ml de vin blanc. Saler** et **poivrer.**

Servir la soupe parsemée de **fines herbes.**

(2 938 kJ/699 kcal)

Velouté de carottes

« Bouillon de veau » comme base.

Laver et couper en rondelles **500 g de carottes.** Ajouter **2 gousses d'ail** épluchées et pressées.

Peler et émincer **2 échalotes.** Les faire revenir avec les carottes et l'ail dans **2 c.s. de beurre aux oignons frits.**

Mouiller avec **1 l de bouillon de veau. Saler, poivrer** et assaisonner de **noix muscade.**

Mixer et incorporer **4 c.s. de crème fraîche.**
(1 754 kj/417 kcal)

Soupe de verdure

« Bouillon de veau » comme base.

Laver et ciseler **persil** (2 bouquets), **roquette** (1 bouquet) **et cresson** (1/2 bouquet).

Faire suer dans **3 c.s. de beurre aux fines herbes.** Ajouter **2 gousses d'ail** épluchées et pressées. Mouiller avec **1 l de bouillon.**

Dorer dans **2 c.s. de beurre clarifié 200 g de spätzles** saupoudrées de **200 g d'emmental râpé.**

Les ajouter au bouillon. Attendre environ 6 minutes avant de servir.
(2 951 kj/702 kcal)

Soupe thym et oignons

« Bouillon de veau » comme base.

Peler et émincer **200 g de gros oignons.** Laver et effeuiller **1 bouquet de thym.**

Faire suer les oignons et le thym dans **3 c.s. d'huile. Saler, poivrer** et assaisonner **de safran en poudre.**

Mouiller avec **1 l de bouillon**. Laisser les ingrédients s'imprégner les uns des autres env. 8 min. Laver **3 filets de sardine.**

Les couper et les incorporer à la soupe. La servir dans des bols.
(1 864 kj/444 kcal)

Bouillon d'agneau

Laver et essuyer **750 g de collier** et **4 os d'agneau.** Couper en deux **3 oignons.** Éplucher et presser **3 gousses d'ail.** Faire revenir ail et oignons dans **du beurre** puis rissoler la viande et les os. Ajouter **1 bouquet de persil** lavé et ciselé. Mouiller avec **200 ml de vin blanc** et environ **1 l d'eau.** Compter env. 1 heure 30 minutes de cuisson à petit feu. Ensuite, ajouter **200 g de poireaux** lavés et coupés en rondelles, **200 g de chou-fleur** lavé. Finalement, filtrer le bouillon en le passant à l'étamine. Servir la viande coupée en tranches.

(2 041 kj/486 kcal)

Bouillon à l'orientale

Dans un faitout, faire chauffer **1 l de bouillon d'agneau.** Forcer sur **la coriandre, le cumin et la moutarde en poudre**. Ajouter **1 demi-bouquet de persil** lavé, essoré et ciselé. Laisser frémir environ 5 minutes.

(1 360 kj/324 kcal)

Bouillon à l'armagnac

Dans un faitout, faire chauffer **1 l de bouillon d'agneau**. Ajouter **un peu d'armagnac**. Couper en dés **200 g de collier d'agneau. Saler** et **poivrer**. Compter environ 45 minutes de cuisson puis servir la soupe.

(1 808 kj/430 kcal)

Bouillon à la sauge

Laver, essorer et ciseler quelques brins de sauge. Dans un faitout, faire chauffer **1 l de bouillon d'agneau**. Ajouter la sauge. Laisser frémir environ 15 minutes. **Saler** et **poivrer.**

(1 360 kj/324 kcal)

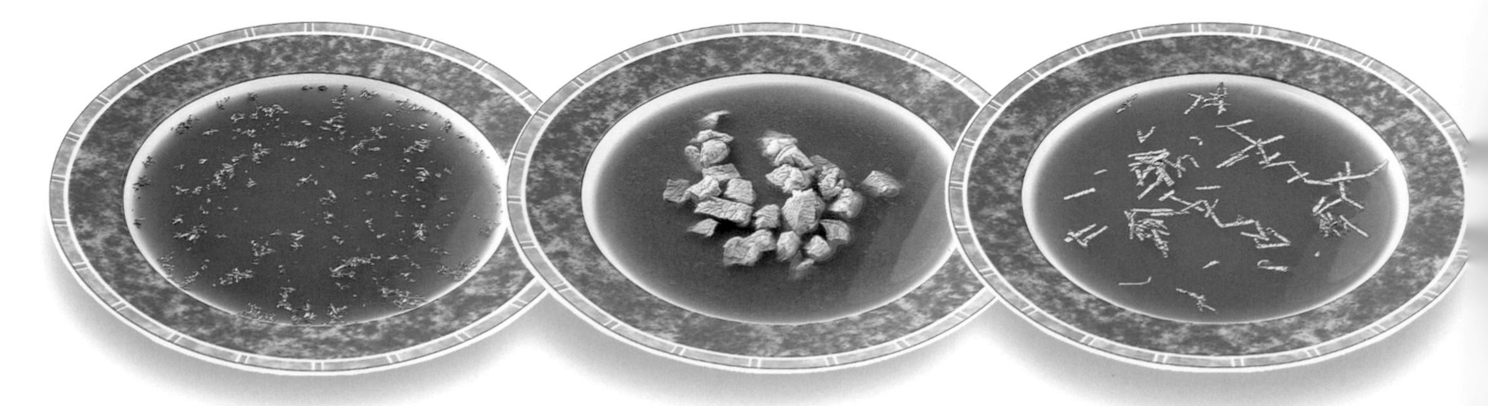

« Bouillon à l'orientale » comme base.

Bouillon aux pois maison

Mélanger **60 g de farine, 1 œuf, 1 c.s. d'huile** et **du sel.** Façonner des pois et les faire dorer au four, sur une tôle à pâtisserie, puis les ajouter au bouillon.

(1 772 kj/422 kcal)

Bouillon aux œufs

Cuire **3 œufs** 6 à 7 min, les rafraîchir et les écaler. Mélanger les jaunes avec **1 jaune d'œuf cru** et **20 g de fromage de chèvre râpé.** Façonner des boulettes et les faire cuire dans **1 l de bouillon.**

(1 812 kj/431 kcal)

Bouillon aux oignons

Peler et émincer **3 oignons**, les saupoudrer de **farine**, les faire frire dans de **l'huile,** puis les ajouter au bouillon et servir.

(1 968 kj/468 kcal)

« Bouillon à l'armagnac » comme base.

Soupe aux pleurotes

Faire revenir dans **2 c.s. de beurre 150 g de pleurotes** et **150 g de champignons bistres** lavés et escalopés. Incorporer **30 g de farine** et mouiller avec le bouillon.

(2300 kJ/547 kcal)

Soupe au cerfeuil

Faire suer **2 bouquets de cerfeuil** dans **2 c.s. de beurre**. Ajouter **3 c.s. de farine** et mouiller avec le **bouillon**. Incorporer **1 jaune d'œuf** battu avec **50 ml de lait.**

(2 420 kj/576 kcal)

Bouillon printanier

Faire cuire env. 5 min, à petit feu, un **mélange printanier** (légumes surgelés) dans **1 l de bouillon. Saler, poivrer** et assaisonner de **piment en poudre.**

(1 985 kj/472 kcal)

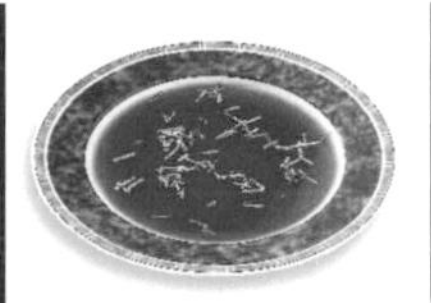

« Bouillon à la sauge » comme base.

Bouillon fitness

Faire cuire environ 4 minutes **450 g de légumes surgelés** dans **1 l de bouillon. Saler, poivrer** et assaisonner de **coriandre en poudre.**

(1 540 kj/366 kcal)

Bouillon aux flageolets

Faire chauffer **1 l de bouillon.** Égoutter **250 g de flageolets en boîte** et les ajouter de même que **150 g de lardons** rissolés.

(3 020 kj/719 kcal)

Soupe aux cheveux d'ange

Cuire **150 g de cheveux d'ange** dans **1 l de bouillon.** Battre **2 œufs** additionnés de **80 ml de lait** et les faire glisser dans la soupe. **Saler, poivrer** et assaisonner de **sauce au chili.**

(2 157 kj/513 kcal)

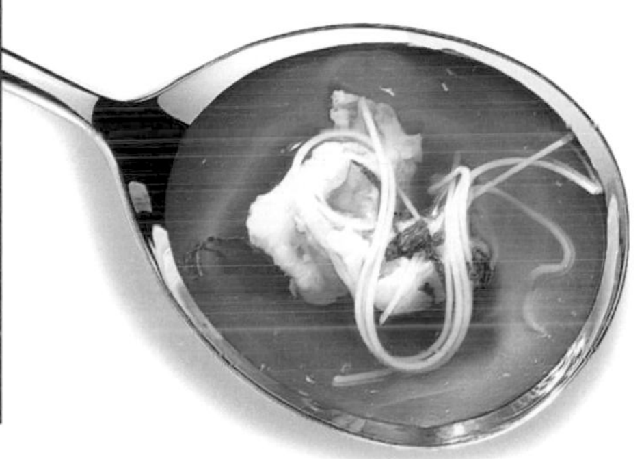

Soupe de Styrie

« Bouillon d'agneau » comme base.

Nettoyer, laver et couper en lanières **300 g de chou pointu.** Nettoyer **100 g d'oignons frais,** les laver et les couper en rondelles.

Éplucher et hacher finement **1 gousse d'ail.** L'écraser grossièrement avec un peu de **sel.** Faire revenir ail et oignons dans **3 c.s. de beurre clarifié.**

Mouiller avec **1 l de bouillon.** Compter environ 8 minutes de cuisson à petit feu.

Saler et assaisonner de **poivre multicolore.** Faire griller à sec **4 c.s. de graines de courge.**

Couper en deux et faire griller **2 tranches de pain de campagne.** Les tartiner de **beurre à l'ail.** Les disposer sur 4 assiettes et verser la soupe.

La servir parsemée de **fines herbes.**
(2 619 kj/623 kcal)

Bouillon vinaigré

« Bouillon d'agneau » comme base.

Laver, essuyer et couper en morceaux **500 g de filet d'agneau. Saler** et **poivrer.**

Faire revenir la viande dans **4 c.s. d'huile d'olive.** Mélanger **3 c.s. de vinaigre de xérès, 1 c.s. de sucre brun** et **50 g d'oignons rouges** émincés.

Verser ce mélange sur la viande et mouiller avec **1 l de bouillon.** Cuire à petit feu env. 7 minutes.

Saler, poivrer et assaisonner d'**anis** et **de moutarde en poudre.**

Laver, essorer et ciseler **1 demi-bouquet de persil**. L'ajouter à la soupe, de même que **2 c.s. de purée de poivrons.**

Servir la soupe dans des assiettes et la saupoudrer d'**ail en poudre.**
(3 015 kj/718 kcal)

Soupe aux rutabagas

« Bouillon d'agneau » comme base.

Éplucher et couper en dés **800 g de rutabagas**. Les faire revenir dans **3 c.s. d'huile d'olive.**

Saler, poivrer et assaisonner de **thym émietté.**

Mouiller avec **1 l de bouillon** et faire mijoter environ 5 minutes.

Couper en dés **250 g de pommes de terre** (en bocal) égouttées. Peler et émincer **1 botte d'oignons frais.** Ajouter ces ingrédients à la soupe et compter environ 5 minutes de cuisson.

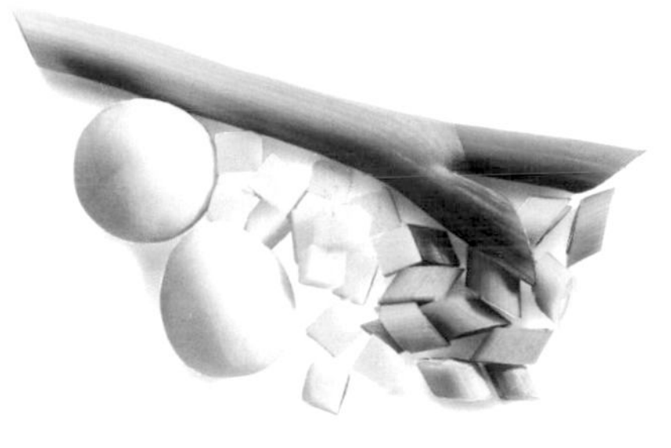

Faire rissoler dans du beurre **8 tranches de jambon d'agneau.**

Servir la soupe dans des assiettes et la garnir de **lanières de jambon.**
(2 890 kj/688 kcal)

Soupe à la tomate

« Bouillon d'agneau » comme base.

Laver, ébouillanter et couper finement **500 g de tomates.** Peler et émincer **200 g d'oignons.**

Les faire revenir avec les tomates dans **2 c.s. de beurre.** Ajouter **2 gousses d'ail** épluchées et pressées.

Mouiller avec **1 l de bouillon** et compter env. 10 minutes de cuisson à petit feu. Ajouter **un peu de romarin** grossièrement haché et **1 c.s. de sucre brun.**

Servir la soupe parsemée de **fines herbes.**

(1 892 kj/450 kcal)

Soupe rouge à l'ail

« Soupe à la tomate » comme base.

Éplucher et hacher finement **2 gousses d'ail.** Les faire revenir dans **2 c.s. d'huile de tournesol.**

Ajouter **2 c.s. de concentré de tomate** et **2 c.s. de panure.**

Mouiller avec **1 l de soupe à la tomate et compter** env. 5 minutes de cuisson à petit feu. **Saler** et **poivrer.**

Servir la soupe saupoudrée de **paprika**.

(2 485 kj/591 kcal)

Soupe de tomates au vin

« Soupe rouge à l'ail » comme base.

Égoutter **300 g de tomates pelées** et les faire cuire avec **1/8 l de vin rouge.**

Laver et effeuiller **quelques brindilles de thym** et les ajouter aux tomates. Mouiller avec **800 ml de soupe rouge à l'ail** et compter env. 5 minutes de cuisson à petit feu.

Mixer, ajouter du **sel marin**, du **poivre**, du **poivre citronné** et un **peu de sucre.**

Servir la soupe saupoudrée de **thym**.

(2 616 kj/623 kcal)

Soupe aux pois capucins

« Soupe de tomates au vin » comme base.

Dans **1 l de soupe de tomates au vin**, faire chauffer **200 g de pois capucins** (en boîte) égouttés. Ajouter **200 ml de vin blanc. Saler, poivrer** et assaisonner de **paprika** et de **piment en poudre.**
(3 013 kj/717 kcal)

Soupe de poire-aux braisés

« Soupe aux pois capucins » comme base.

Laver et couper en rondelles **250 g de poireaux**. Les faire braiser dans **4 c.s. d'huile de noix**. Servir la soupe aux pois capucins, garnie de **poireaux émincés.**
(4 821 kj/1148 kcal)

Soupe gratinée

« Soupe de poireaux braisés » comme base.

Saisir **4 côtelettes d'agneau** dans de **l'huile** très chaude. **Saler** et **poivrer**. Les dresser sur des assiettes et verser la soupe. Saupoudrer de **fromage** et faire gratiner.
(4 821 kj/1148 kcal)

Suggestion

Additionner ces soupes d'un peu de crème fraîche. Elles seront plus onctueuses et vous mettront en appétit.

Soupe aux nouilles

« Bouillon d'agneau » comme base.

Laver et couper en dés **600 g d'épaule d'agneau**. Peler et émincer **300 g d'oignons rouges.**

Les faire revenir avec la viande dans **2 c.s. de beurre.** Ajouter **2 c.s. de tomato al gusto** avec **des herbes.**

Saler et **poivrer**. Mouiller avec **1 l de bouillon**. Compter environ 20 minutes de cuisson à petit feu.

Ajouter **100 g de nouilles fraîches** et les faire cuire dans la soupe.
(3 594 kj/855 kcal)

Soupe aux asperges

« Bouillon d'agneau » comme base.

Laver et couper en morceaux **2 garnitures aromatiques**. Faire suer les légumes correspondants dans **2 c.s. de beurre.**

Mouiller avec **1 l de bouillon**. Ajouter **1 bouquet de persil** lavé et ciselé.

Saler, poivrer et assaisonner **de noix muscade fraîchement râpée.** Egoutter **200 g d'asperges en morceaux** (en boîte).

Faire tiédir les asperges dans la soupe.
(2 016 kj/480 kcal)

Soupe des Balkans

« Bouillon d'agneau » comme base.

Nettoyer, laver et couper en lanières **200 g de poivrons verts et rouges.** Peler et couper en dés **100 g de courgettes.**

Faire revenir les légumes dans **3 c.s. de beurre au poivre**. Ajouter **2 gousses d'ail** épluchées et pressées. **Saler, poivrer** et assaisonner de **paprika.**

Mouiller avec **1 l de bouillon. Saler, poivrer** et assaisonner de **piment en poudre 400 g de hachis d'agneau**. Façonner des boulettes. Les faire cuire environ 8 minutes dans la soupe.

Servir la soupe dans des assiettes
(2 566 kj/611 kcal)

Soupe aux pois

« Bouillon d'agneau » comme base.

Faire tremper toute une nuit **200 g de pois verts et 200 g de jaunes.** Ensuite les égoutter.

Chauffer dans un faitout **1,5 l de bouillon** et y faire cuire les pois pendant env. 1 heure 30 minutes **Saler, poivrer** et assaisonner de **cumin.**

Incorporer à la soupe **250 g de saucisson à l'ail** coupé en dés. Laver et ciseler **1 demi-bouquet de persil.**

Servir la soupe parsemée de **persil.**
(3 540 kj/843 kcal)

Soupe au riz

« Bouillon d'agneau » comme base.

Peler et émincer **1 gros oignon.** Laver et couper en rondelles **250 g de poireaux.**

Éplucher et couper en dés **200 g de céleri**. Laver et couper en lanières **150 g de pé-tsaï**. Faire cuire les légumes et **50 g de riz** (à cuisson rapide) dans **1,5 l de bouillon.**

Ajouter **2 c.s. de concentré de tomate** et **200 g de purée de tomate. Saler, poivrer** et l'assaisonner d'**un peu de sauce Worcester.**

Servir la soupe dans des assiettes.
(2 567 kj/611 kcal)

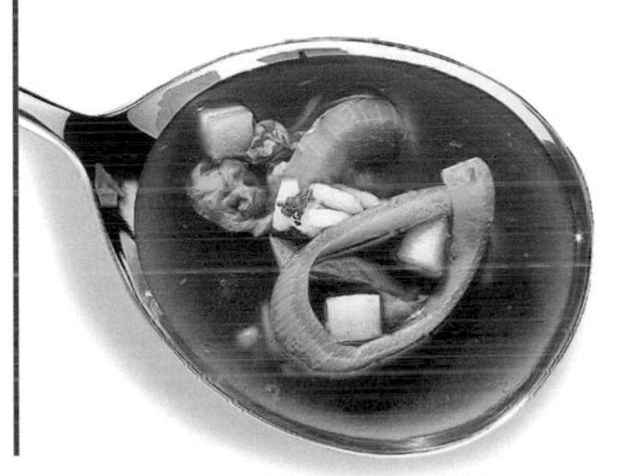

Soupe aux pois chiches

« Bouillon d'agneau » comme base.

Égoutter **250 g de pois chiches** (en boîte). Laver et ciseler **1 bouquet de basilic.**

Faire chauffer ces ingrédients dans **1 l de bouillon. Saler, poivrer** et assaisonner **de paprika.**

Faire revenir **4 cevapcicci** dans **2 c.s. de beurre aux fines herbes.**

Les ajouter à la soupe et servir.
(4 476 kj/1 065 kcal)

Bouillon de gibier

Laver et essuyer **500 g de gibier** et **500 g de carcasse.** Laver et couper en brunoise **1 garniture aromatique.** Éplucher et détailler en dés **3 bulbes de persil**. Couper **3 oignons** en deux. Faire revenir tous les ingrédients dans **3 c.s. d'huile d'olive** bien chaude. **Saler, poivrer** et assaisonner de **paprika.** Mouiller avec **500 ml de vin rouge** et **1,5 l d'eau.** Ajouter **10 grains de poivre multicolore, 3 baies de genièvre et 2 clous de girofle.** Cuire à petit feu env. 1 heure. Ensuite, filtrer le bouillon en le passant à l'étamine. Servir la viande coupée en tranches. Rectifier l'assaisonnement en **sel** et en **poivre.**

(2 035 kj/484 kcal)

Bouillon au genièvre

Écraser **5 baies de genièvre, 4 piments de la Jamaïque** et **1 feuille de thym.** Les ajouter, avec **100 g de légumes à potage surgelés** et **100 ml de vin rouge,** à **1 l de bouillon de gibier.** Laisser frémir env. 20 min. puis filtrer. Rajouter les légumes.

(1 106 kj/263 kcal)

Bouillon forestier

Dans **3 c.s. de beurre,** faire sauter **200 g de girolles** lavées et essorées. Ajouter **1/2 bouquet de persil** lavé et ciselé. Mouiller avec **1 l de bouillon de gibier.** Laisser frémir env. 5 min. **Saler, poivrer** et assaisonner de **paprika.**

(1 540 kj/366 kcal)

Bouillon Cumberland

Mélanger **3 c.s. de gelée de groseille, 1 c.s. de confiture d'airelles, 2 c.s. de porto** et **1 c.s. de jus d'orange** à **1 l de bouillon de gibier bien chaud.** Laisser frémir env. 10 min. **Saler** et **poivrer.**

(1 327 kj/316 kcal)

« Bouillon au genièvre » comme base.

Consommé de gibier

Mélanger **1 œuf, 100 g de jambon coupé en dés, 60 g de farine, 4 c.s. de xérès et 4 c.s. d'eau minérale. Saler** et **poivrer.** Façonner des boulettes et les faire cuire dans **1 l de bouillon au genièvre.**

(1635 kJ/389 kcal)

Soupe Nimrod

Cuire env. 20 min **100 g d'orge** dans **200 ml de bouillon au genièvre.** Incorporer, avec **200 g de chair de gibier coupée en dés, à 1 l de bouillon au genièvre.** Laisser frémir env. 10 min. **Saler et poivrer.**

(1764 kJ/420 kcal)

Soupe au chevreuil

Laver, essuyer et couper en morceaux **200 g de filet de chevreuil. Saler, poivrer** et ajouter de **l'ail pressé.** Faire cuire environ 10 minutes dans **1 l de bouillon au genièvre.**

(1 350 kJ/321 kcal)

« Bouillon forestier » comme base.

Soupe au lièvre

Laver et couper en morceaux **300 g de filet de lièvre. Saler** et **poivrer.** Faire revenir dans **2 c.s. de beurre pour grillades.** Déglacer avec **2 c.s. de rhum.** Mouiller avec **1 l de bouillon forestier.**

(2 116 kJ/504 kcal)

Soupe au sanglier

Laver et couper en morceaux **400 g de sanglier**. Faire mariner dans **5 c.s. de xérès et 3 c.s. de porto.** Incorporer le tout à **1 l de bouillon forestier et** faire mijoter.

(2 116 kJ/504 kcal)

Assiette forestière

Répartir dans des assiettes **250 g de salami de gibier** coupé en dés. Chauffer **1 l de bouillon forestier** additionné de **2 cl de liqueur aux herbes.** Garnir de **crème fermentée.**

(2 711 kJ/645 kcal)

« Bouillon Cumberland » comme base.

Soupe Diana

Hacher **400 g de gibier** (morceau pour daubes). Ajouter **2 oignons émincés. Saler** et **poivrer.** Façonner des boulettes et les faire cuire dans **1 l de bouillon Cumberland.**

(1 940 kJ/462 kcal)

Velouté de gibier

Mélanger **200 g de pâté de gibier** et **200 g de crème fraîche.** Incorporer à **1 l de bouillon Cumberland. Saler** et **poivrer.** Parsemer de **fines herbes.**

(2251 kJ/536 kcal)

Soupe à la langue

Couper en lanières **300 g de langue cuite.** La faire chauffer dans **1 l de bouillon Cumberland. Saler, poivrer** et ajouter **un peu de poivre citronné.**

(2 039 kJ/485 kcal)

Soupe chasseur

« Bouillon de gibier » comme base.

Faire tremper toute une nuit **200 g de lentilles** puis les égoutter. Laver et couper **1 aubergine** en dés. Peler et émincer **2 oignons.**

Couper en dés **150 g de pruneaux secs**. Faire revenir tous les ingrédients dans **2 c.s. de beurre clarifié.**

Mouiller avec **1 l de bouillon de gibier**. Compter environ 15 minutes de cuisson à petit feu.

Saler et **poivrer**. Dans une poêle, faire griller à sec **4 c.s. de graines de courge.**

Couper en deux et faire griller **2 tranches de pain de campagne.** Les tartiner de **beurre au poivre.** Les répartir dans 4 bols et verser dessus la soupe.

Parsemer de **fines herbes** et ajouter quelques **graines de courge.**
(2 872 kJ/684 kcal)

Soupe panade

« Bouillon de gibier » comme base.

Laver et hacher **200 g de gibier** (morceau pour daubes). Incorporer **80 g de chapelure.**

Saler, poivrer et assaisonner de **paprika** ainsi que de **piment en poudre**. Ajouter **2 c.s. de sauce Cumberland** (prête à l'emploi).

Façonner des boulettes et les faire cuire dans **1 l de bouillon de gibier.**

Cuire *al dente* **100 g de spätzle** dans de l'eau légèrement salée puis les égoutter.

Les ajouter à la soupe de même que **quelques brins d'estragon** lavés et effeuillés. Assaisonner d'**un peu d'oignon en poudre.**

Servir la soupe dans des bols.
(1 780 kj/424 kcal)

Soupe flamande

« Bouillon de gibier » comme base.

Laver et détailler **400 g de gibier** (morceau pour daubes). **Saler** et **poivrer.**

Faire revenir dans **3 c.s. d'huile bien chaude.** Mouiller avec **1 l de bouillon** de gibier et cuire environ 30 minutes.

Ajouter **250 de choux de Bruxelles** nettoyés et lavés. Compter 8 minutes de cuisson supplémentaires.

Laver, essorer et effeuiller **quelques brins de cerfeuil.** Les ajouter à la soupe de même que **3 c.s. de porto.**

Saler, poivrer et assaisonner d'une c.c. **d'épices pour gâteaux de Noël.**

Servir la soupe dans des bols.
(2 279 kj/542 kcal)

Bouillon cinq-épices

« Bouillon cinq-épices » comme base.

Mélanger **3 c.s. de sauce soja claire, 3 c.s. de xérès** et **2 c.s. de cinq-épices chinoises en poudre.**

Badigeonner de ce mélange **800 g de cuissot de marcassin** lavé et coupé en morceaux. Compter 1 heure de macération. Peler et émincer
2 oignons.

Faire revenir tous les ingrédients dans **2 c.s. de beurre clarifié.** Mouiller avec **1 l de bouillon de gibier.** Compter environ 30 minutes de cuisson à petit feu.

Servir le bouillon parsemé de **fines herbes.**
(2 875 kj/684 kcal)

Soupe aux châtaignes

« Bouillon cinq-épices » comme base.

Égoutter et hacher grossièrement **200 g de châtaignes en boîte.** Peler et émincer **150 g d'échalotes.**

Les faire revenir dans **2 c.s. d'huile de sésame**, de même qu'un peu **de gingembre** pelé et râpé.

Mouiller avec **1 l de bouillon cinq-épices**. Laisser frémir environ 6 minutes. **Saler** et **poivrer.**

Servir la soupe très chaude.
(4 527 kj/1 078 kcal)

Soupe aux cèpes

« Soupe aux châtaignes » comme base.

Faire tremper dans de l'eau **50 g de cèpes séchés**. Nettoyer, laver et couper en morceaux **1 piment rouge.**

Égoutter et couper en brunoise **50 g de pousses de bambou.** Laver et effeuiller **quelques brins de coriandre.**

Laver, essorer et trancher **2 branches de céleri.** Égoutter les cèpes et les faire revenir dans **2 c.s. d'huile de cacahuète**. Mouiller avec **1 l de bouillon.**

Compter environ 5 minutes de cuisson à petit feu.
(4 688 kj/1 116 kcal)

Soupe Ma-Pwo

« Soupe aux cèpes » comme base.

Égoutter et hacher finement **80 g de champignons enoki en boîte**. Les faire cuire env. 5 minutes dans **1 l de soupe aux cèpes**. Ajouter **2 c.s. de sauce au chili et 2 gousses d'ail** épluchées et pressées.
(4 873 kj/1 160 kcal)

Soupe Setchouan

« Soupe Ma-Pwo » comme base.

Égoutter **150 g de légumes Setchouan au vinaigre** et les faire chauffer dans **1 l de soupe Ma-Pwo. Saler, poivrer** et assaisonner de **paprika.** Servir parsemer de **fines herbes.**
(4 964 kj/1 182 kcal)

Soupe à l'asiatique

« Soupe Setchouan » comme base.

Faire frire **50 g de cheveux d'ange dans 2 c.s. d'huile** et les répartir dans 4 assiettes, de même que **1 l de soupe Setchouan**. Servir avec **8 demi-tranches de pain de mie** grillées et frottées à l'ail.
(5 864 kj/1 396 kcal)

Suggestion

Pour accentuer le caractère asiatique de ces soupes, les servir avec des chips aux crevettes.

Soupe au chou rouge

« Bouillon de gibier » comme base.

Nettoyer, laver et couper en lanières 400 g de chou rouge. Peler, laver et couper en morceaux **3 pommes rouges.**

Peler et émincer **2 oignons rouges.** Faire revenir tous les ingrédients dans **2 c.s. de saindoux.**

Saler, poivrer et assaisonner de **clou de girofle en poudre.** Mouiller avec **2 c.s. de vin rouge** et **1 l de bouillon de gibier**. Laisser frémir environ 10 minutes.

Incorporer **2 c.s. de crème fermentée** et servir.

(1 935 kJ/460 kcal)

Soupe sauvageonne

« Bouillon de gibier » comme base.

Laver, essorer et ciseler **100 g d'ail sauvage, 100 g d'oseille** et **50 g de cresson.**

Éplucher, laver et couper en rondelles **200 g de pommes de terre**. Peler et émincer **2 oignons.**

Faire revenir le tout dans **2 c.s. de beurre clarifié. Saler, poivrer** et assaisonner de **paprika.** Mouiller avec **1 l de bouillon de gibier** et laisser frémir env. 7 minutes.

Servir la soupe dans des assiettes. Parsemer de **poivre citronné.**

(1 842 kJ/438 kcal)

Goulasch de gibier

« Bouillon de gibier » comme base.

Laver et détailler **300 g de gibier** (morceau pour daubes). **Saler, poivrer** et assaisonner **de piment en poudre.**

Peler et émincer 3 oignons. Éplucher et hacher finement **1 gousse d'ail**. Faire revenir le tout dans **3 c.s. d'huile d'olive.**

Mouiller avec **1 l de bouillon de gibier** et compter environ 1 heure de cuisson à petit feu. Égoutter **100 g d'olives** noires et les couper en rondelles.

Les ajouter à la soupe de même qu'une **cuillerée de crème double.**

(3 161 kJ/752 kcal)

Soupe aux rognons

« Bouillon de gibier » comme base.

Laver et couper en morceaux **4 rognons de chevreuil. Saler** et **poivrer**. Peler et émincer **2 échalotes.**

Faire revenir le tout dans **2 c.s. de beurre à grillades**. Ajouter **1 garniture aromatique surgelée.**

Mouiller avec **1 l de bouillon de gibier** et compter env. 15 minutes de cuisson à petit feu. Incorporer **2 c.s. de madère.** Faire frire à la poêle **2 tranches de pain de campagne** coupées en morceaux.

Servir la soupe dans des assiettes et l'accompagner de **croûtons.**
(1 876 kj/446 kcal)

Soupe au sureau

« Bouillon de gibier » comme base.

Mélanger **100 ml de jus de sureau et 1,5 l de bouillon de gibier.** Faire chauffer. Laver et couper en petits morceaux **300 g de filet de lièvre.**

Faire revenir le gibier dans **3 c.s. d'huile. Saler** et **poivrer**. Déglacer avec **2 c.s. de jus d'argousier.**

Incorporer tous ces ingrédients à la soupe. Assaisonner de **clou de girofle** et **de coriandre en poudre**. Ajouter **3 c.s. de vin rouge.**

Servir la soupe dans des assiettes.
(2 717 kj/647 kcal)

Soupe au jambon

« Bouillon de gibier » comme base.

Laver et escaloper **250 g de champignons**. Couper en lanières **250 g de jambon de gibier.**

Faire revenir le tout dans **3 c.s. de beurre. Saler, poivrer** et assaisonner **de noix muscade.**

Dans un faitout, faire chauffer **1 l de bouillon de gibier** et ajouter le jambon, les champignons et **quelques brins d'estragon** lavés et effeuillés.

Servir la soupe dans des assiettes, avec un peu de **crème chantilly.**
(2 505 kj/596 kcal)

Recettes et variantes

P. 16 Soupe russe
1re variante : remplacer le chou blanc par du chou vert frisé.
2e variante : assaisonner de cumin.
3e variante : ajouter des lardons frits.
4e variante : aromatiser avec des cèpes.
5e variante : bouillon de bœuf clair et de gibier à parts égales.
6e variante : servir avec de petites saucisses de porc frites.

P. 16 Soupe à la marjolaine
1re variante : utiliser des herbes de Provence surgelées.
2e variante : composer son propre mélange de légumes.
3e variante : raifort à la crème et wasabi à parts égales.
4e variante : bouillon de bœuf clair et de gibier à parts égales.
5e variante : faire revenir les ingrédients dans de l'huile aux truffes.
6e variante : ajouter des truffes finement escalopées.

P. 17 Soupe avec feuilleté
1re variante : remplacer les carottes par des panais.
2e variante : remplacer les morilles par des bolets.
3e variante : remplacer le beurre au poivre par du beurre aux oignons frits.
4e variante : bouillon de bœuf clair et bouillon aux champignons à parts égales.
5e variante : bouillon de veau (1/3) et bouillon de bœuf (2/3).
6e variante : topinambours, carottes et pommes de terre en quantités égales.

P. 20 Soupe de haricots
1re variante : remplacer les haricots rouges par des flageolets.
2e variante : remplacer le chou pointu par du pé-tsaï.
3e variante : bouillon de bœuf clair et fond asiatique à parts égales.
4e variante : employer du riz basmati.
5e variante : remplacer le basilic par de la coriandre.
6e variante : servir avec des croûtons frits.

P. 20 Soupe riz-tomates
1re variante : utiliser des oignons frais (tiges comprises).
2e variante : utiliser du riz country.
3e variante : bouillon de bœuf clair et fond asiatique à parts égales.
4e variante : employer du riz basmati.
5e variante : remplacer le basilic par de la coriandre.
6e variante : aromatiser de 2 c. à s. de saké.

P. 20 Soupe aux pannequets
1re variante : utiliser des champignons des bois.
2e variante : remplacer les oignons frais par des échalotes.
3e variante : faire revenir champignons et oignons dans du beurre aux fines herbes.
4e variante : bouillon de bœuf clair et bouillon de champignons à parts égales.
5e variante : ajouter de la sauce Worcester.
6e variante : ajouter du xérès.

P. 21 Bouillon avec pain et œuf
1re variante : utiliser du pain de campagne ou aux noix.
2e variante : remplacer la ciboulette par un mélange italien.
3e variante : bouillon de bœuf clair et de veau à parts égales.
4e variante : provolone ou pecorino au lieu du parmesan.

P. 21 Soupe niçoise
1re variante : remplacer les haricots verts par des blancs.
2e variante : remplacer les haricots par des légumes surgelés.
3e variante : bouillon de bœuf clair et de gibier à parts égales.
4e variante : lier avec un œuf.
5e variante : vin blanc (1/3) et de bouillon de bœuf (2/3).
6e variante : assaisonner de moutarde (poudre ou graines).

P. 21 Soupe au chou-fleur
1re variante : farine de maïs et de blé complète à parts égales.
2e variante : additionner la farine d'emmenthal râpé.
3e variante : remplacer la ciboulette par du persil.
4e variante : bouillon de bœuf clair et de poulet à parts égales.
5e variante : remplacer le chou-fleur par des brocolis.
6e variante : ajouter à la crème fraîche du concentré de tomates.

P. 24 Soupe à l'anglaise
1re variante : remplacer les fèves par des haricots kidney.
2e variante : remplacer le corned-beef par du bœuf frais.
3e variante : remplacer le corned-beef par du hachis.
4e variante : bouillon de bœuf foncé et de gibier à parts égales.
5e variante : bouillon de bœuf clair et foncé ainsi que vin rouge à parts égales.
6e variante : assaisonner de tabasco et de piment en poudre.

P. 24 Soupe à l'orge perlé
1re variante : bouillon de bœuf foncé et d'agneau à parts égales.
2e variante : carottes et bulbes de persil à parts égales.
3e variante : composer son propre mélange de légumes.
4e variante : parsemer de petites feuilles de noisetier grillées.

P. 25 Soupe riz-fenouil
1re variante : utiliser du riz complet.
2e variante : bouillon de bœuf clair et foncé à parts égales.
3e variante : assaisonner de clou de girofle et d'anis en poudre.
4e variante : remplacer le parmesan par du gorgonzola.
5e variante : ajouter du fromage et faire gratiner.

P. 28 Soupe de lentilles
1re variante : bouillon de bœuf foncé (3/4 l) et vin rouge (1/4 l).
2e variante : bouillon de bœuf foncé et de gibier à parts égales.
3e variante : bouillon de bœuf clair et foncé.
4e variante : utiliser des lentilles du Puy.
5e variante : remplacer la ciboulette par de la livèche.
6e variante : ajouter du vinaigre de vin rouge.

P. 28 Soupe bavaroise
1re variante : bouillon de bœuf foncé et d'agneau à parts égales.
2e variante : utiliser du porc fumé.
3e variante : remplacer le chou frisé par du chou blanc.
4e variante : chou blanc et chou rouge à parts égales.
5e variante : chou frisé et chou rouge à parts égales.
6e variante : ajouter du Bavaria blue.

P. 29 Soupe hongroise
1re variante : cuire les pommes env. 15 min dans du tokay.
2e variante : faire revenir tous les ingrédients dans du beurre au poivre.
3e variante : bouillon de bœuf foncé et bouillon de légumes à parts égales.
4e variante : tokay (1/3) et bouillon de bœuf foncé (2/3).
5e variante : remplacer le salami par de la chair à saucisse.
6e variante : ajouter du paprika et du yaourt pour plus d'onctuosité.

P. 29 Soupe à la niçoise
1re variante : utiliser des nouilles vertes.
2e variante : bouillon de bœuf clair et foncé à parts égales.
3e variante : utiliser de l'oseille et des orties.
4e variante : faire revenir tous les ingrédients dans de l'huile de noix.
5e variante : lier avec un œuf.

P. 29 Soupe à la mode arabe
1re variante : utiliser du persil et de la coriandre.
2e variante : hachis de bœuf, d'agneau et de veau à parts égales.
3e variante : bouillon de bœuf foncé et d'agneau à parts égales.
4e variante : épaissir avec de la farine de pois chiches.
5e variante : ajouter du mil.
6e variante : corser à la harissa.

P. 32 Soupe « bistrot »
1re variante : utiliser des petits oignons blancs.
2e variante : employer des patates douces.
3e variante : remplacer les cœurs d'artichaut par des poireaux.
4e variante : bouillon de veau et de bœuf clair à parts égales.
5e variante : remplacer les filets d'anchois par des escargots.
6e variante : garnir d'un feuilleté.

P. 32 Soupe aux brocolis
1re variante : bouillon de veau et de bœuf clair à parts égales.
2e variante : bouillon de veau et de légumes à parts égales.
3e variante : brocolis et chou-fleur romanesco à parts égales.

P. 33 Soupe à l'aigre-doux
1re variante : employer du riz sauvage.
2e variante : utiliser du riz vert italien.
3e variante : bouillon de veau et d'agneau à parts égales.
4e variante : utiliser de la courge et du gingembre au vinaigre.

5e variante : ajouter du yaourt pour plus d'onctuosité.

P. 36 Soupe au porto
1re variante : tomates et endives à parts égales.
2e variante : ajouter des truffes.
3e variante : garnir d'un blanc d'œuf battu en neige.
4e variante : bouillon de veau et de bœuf à parts égales.

P. 36 Soupe aux escargots
1re variante : remplacer les champignons de Paris par des morilles.
2e variante : bouillon de veau (2/3) et vin rosé (1/3).
3e variante : jaune d'œuf battu avec du mousseux.
4e variante : utiliser des champignons portobello.

P. 36 Soupe aux poires
1re variante : poires et céleri-rave à parts égales.
2e variante : faire macérer les poires dans de la sauce Cumberland.
3e variante : parsemer d'amandes effilées.
4e variante : bouillon de veau et d'oie à parts égales.

P. 37 Velouté de carottes
1re variante : utiliser carottes et navets.
2e variante : ajouter de la grenadine.
3e variante : ajouter des pois maison (cf. recette p. 39).
4e variante : bouillon de veau et fond asiatique à parts égales.
5e variante : bouillon de veau et d'oie à parts égales.

P. 37 Soupe de verdure
1re variante : bouillon de veau et bière à parts égales.
2e variante : ajouter du basilic.

P. 37 Soupe thym et oignons
1re variante : bouillon de veau et bière à parts égales.
2e variante : ajouter du basilic.

P. 40 Soupe styrienne
1re variante : remplacer le chou frisé par du chou pointu.
2e variante : bouillon d'agneau (3/4 l) et vin rouge (1/4 l).
3e variante : badigeonner le pain d'huile de pépins de courge.
4e variante : bouillon d'agneau et de bœuf à parts égales.
5e variante : bouillon d'agneau et de gibier à parts égales.
6e variante : chou frisé, chou pointu et chou blanc à parts égales.

P. 40 Bouillon vinaigré
1re variante : bouillon de veau et de bœuf à parts égales.
2e variante : huile de sésame pour frire.
3e variante : utiliser de l'ail en morceaux.
4e variante : bouillon d'agneau et fond asiatique à parts égales.
5e variante : utiliser du vinaigre de vin de riz.

P. 41 Soupe aux rutabagas
1re variante : employer rutabagas et navets.
2e variante : remplacer les oignons frais par des poireaux.
3e variante : ajouter de l'eau-de-vie au cumin.
4e variante : bouillon d'agneau et d'oie à parts égales.
5e variante : bouillon d'agneau et de légumes à parts égales.

P. 44 Soupe aux nouilles
1re variante : bouillon de veau et d'agneau à parts égales.
2e variante : lier avec un jaune d'œuf.
3e variante : parsemer de sauge frite.
4e variante : utiliser des spätzles.
5e variante : bouillon d'agneau et de bœuf à parts égales.

P. 44 Soupe aux asperges
1re variante : bouillon d'agneau et vin rosé à parts égales.
2e variante : employer des asperges vertes.
3e variante : faire gratiner avec de la mozzarella.
4e variante : bouillon d'agneau et de légumes à parts égales.
5e variante : bouillon d'agneau et de veau à parts égales.

P. 44 Soupe des Balkans
1re variante : employer des poivrons et des haricots blancs.
2e variante : remplacer les courgettes par des épis de maïs.
3e variante : ajouter des boulettes frites.
4e variante : hachis d'agneau et de bœuf à parts égales.
5e variante : bouillon d'agneau et de gibier à parts égales.
6e variante : bouillon d'agneau et bouillon de bœuf foncé à parts égales.

P. 45 Soupe aux pois
1re variante : utiliser des pois jaunes, verts et bruns.
2e variante : bouillon d'agneau et de bœuf à parts égales.
3e variante : mixer les pois et ajouter de la crème fermentée.
4e variante : bouillon d'agneau et bouillon de bœuf clair à parts égales.

P. 45 Soupe au riz
1re variante : bouillon d'agneau et fond asiatique à parts égales.
2e variante : bouillon d'agneau et de légumes à parts égales.
3e variante : utiliser du riz complet.
4e variante : ajouter des lardons frits.
5e variante : faire cuire avec un bouquet garni.

P. 45 Soupe aux pois chiches
1re variante : ajouter des olives conservées à l'huile.
2e variante : additionner de thym et d'origan.
3e variante : employer du basilic perse (épiceries asiatiques).
4e variante : bouillon d'agneau et bouillon de bœuf clair à parts égales.

P. 48 Soupe chasseur
1re variante : bouillon de gibier et vin rouge à parts égales.
2e variante : ajouter du pâté de gibier.

P. 48 Soupe panade
1re variante : bouillon de gibier et fumet de champignons à parts égales.
2e variante : utiliser cerfeuil et persil.
3e variante : ajouter du vermouth.
4e variante : bouillon de gibier et d' agneau à parts égales.

P. 49 Soupe flamande
1re variante : utiliser des choux de Bruxelles et des endives.
2e variante : bouillon de gibier et fumet de champignons à parts égales.
3e variante : ajouter des cèpes.
4e variante : bouillon de gibier et de pigeon à parts égales.
5e variante : bouillon de gibier et de veau à parts égales.

P. 52 Soupe au chou rouge
1re variante : ajouter de la crème fraîche.
2e variante : incorporer des lanières de jambon.
3e variante : servir avec des bretzels.
4e variante : bouillon de gibier et de bœuf foncé à parts égales.
5e variante : bouillon de gibier et fond asiatique à parts égales.

P. 52 Soupe sauvageonne
1re variante : bouillon de gibier et de bœuf foncé à parts égales.
2e variante : utiliser des orties et de la mélisse.
3e variante : garnir d'œufs de caille coupés en tranches.
4e variante : bouillon de gibier et d' agneau à parts égales.

P. 52 Goulasch de gibier
1re variante : remplacer les olives par des chanterelles.
2e variante : bouillon de gibier et d' agneau à parts égales.
3e variante : remplacer les olives par de la choucroute macérée au champagne.
4e variante : 1 l de bouillon de gibier et 500 ml de bière brune.

P. 53 Soupe aux rognons
1re variante : utiliser des rognons de porc.
2e variante : bouillon de gibier et de veau à parts égales.
3e variante : utiliser des haricots verts.
4e variante : bouillon de gibier et fumet de champignons à parts égales.
5e variante : utiliser des champignons des bois frais.
6e variante : parsemer de feuilles de rose candies.

Soupes à la volaille

La poulle au potn'est qu'une recette parmi tant d'autres. Découvrez comment accommoder en soupe aussi bien du canard que des cailles. Vous n'aurez que l'embarras du choix.

Bouillon de poule

Laver et couper en morceaux **2 carottes et une moitié de céleri-rave.** Nettoyer, laver et émincer **300 g de poireaux.** Couper en deux **2 oignons**. Faire revenir tous ces ingrédients dans **3 c.s. de beurre**. Déglacer avec **250 ml de vin blanc** et mouiller avec **1 l d'eau**. Laver **une poule à bouillir** et l'ajouter à la préparation. Laver, essorer et effeuiller **2 brins de livèche, 2 brins de thym et 4 brins de basilic**. Les ajouter au bouillon de même que **8 grains de poivre** et un peu de sel. Compter env. 1 heure 30 minutes de cuisson à petit feu puis filtrer le bouillon en le passant à l'étamine. Détacher la chair des os et la servir.
(2147 kj/511 kcal).

Bouillon au basilic

Laver, essorer et ciseler **1 bouquet de basilic**. Éplucher et presser **2 gousses d'ail**. Faire suer ail et basilic dans **2 c.s. de beurre aux fines herbes**. Mouiller avec **1 l de bouillon de poule. Saler, poivrer** et servir.
(1 751 kj/417 kcal)

Consommé au madère

Faire macérer, à couvert, environ 20 minutes, **300 g de blanc de poulet, coupé en dés**, dans **50 ml de madère**. Puis mouiller avec **1 l de bouillon de poule très chaud** et laisser frémir environ 8 minutes avant de servir.
(1 834 kj/436 kcal)

Bouillon à l'orange

Mélanger 2 c.s. de confiture d'orange amère, 1 c.s. de Cointreau et 1 c.s. de zeste d'orange. Mouiller avec **1 l de bouillon de poule. Saler, poivrer** et compter environ 5 minutes de cuisson à petit feu.
(1 619 kj/385 kcal)

« Bouillon au basilic » comme base.

Soupe de vermicelles

Cuire environ 5 minutes **150 g de vermicelles dans 1 l de bouillon au basilic. Saler, poivrer** et ajouter du **jus d'ail**. Servir la soupe parsemée de **fines herbes**.

(2 324 kj/553 kcal)

Soupe à la scarole

Laver, essorer et couper **une scarole** en lanières. La faire suer dans **2 c.s. de beurre aux fines herbes** puis mouiller avec **1 l de bouillon au basilic.**

(2242 kJ/534 kcal)

Velouté aux petits pois

Cuire **100 g de petits pois surgelés et 100 g de carottes** dans **1 l de bouillon au basilic**. Incorporer **100 g de crème fermentée** et laisser frémir environ 3 minutes.

(2 137 kj/509 kcal)

« Consommé au madère » comme base.

Soupe au foie

Laver et faire revenir **250 g de foie de volaille** avec **100 g de pommes** (en dés) dans **3 c.s. de beurre clarifié. Saler, poivrer** et mouiller avec **1 l de consommé.**

(2 842 kj/676 kcal)

Soupe au gorgonzola

Écraser à la fourchette **200 g de gorgonzola** et verser peu à peu **1 l de consommé au madère. Saler, poivrer** et assaisonner de **paprika** et de **poivre citronné.**

(2 638 kj/628 kcal)

Stratiatella

Incorporer peu à peu à **1 l de consommé au madère 2 œufs** mélangés à **2 c.s. de ketchup et 2 c.s. de mousseux.** Les faire prendre et ajouter de **l'ail en poudre.**

(2 108 kj/502 kcal)

« Bouillon à l'orange » comme base.

Soupe au riz aigre-douce

Cuire **100 g de riz** (à cuisson rapide) dans **1 l de bouillon à l'orange.** Ajouter **3 c.s. de vinaigre de cidre.** Servir la soupe avec des **amandes effilées grillées.**

(2 077 kj/494 kcal)

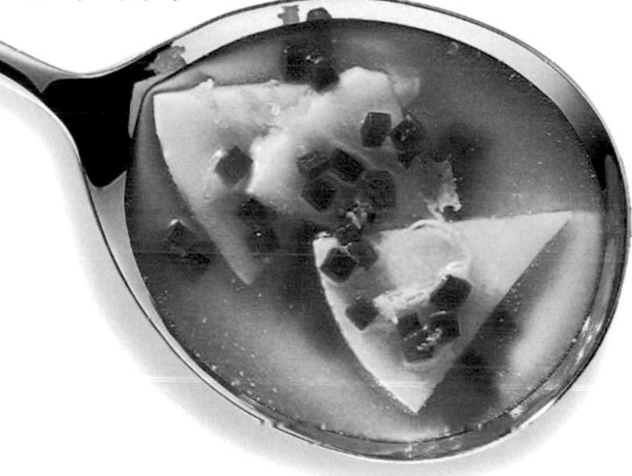

Bouillon pimenté

Nettoyer, laver et hacher finement **2 piments rouges.** Les faire revenir, avec **100 g de cœurs de palmier,** dans **2 c.s. de beurre.** Mouiller avec **1 l de bouillon** et laisser frémir environ 5 minutes.

(2 140 kj/509 kcal)

Soupe au soja

Faire revenir **150 g de pousses de soja** et **150 g de blanc de poulet** (en dés) dans **2 c.s. de beurre aux fines herbes**. Mouiller avec **1 l de bouillon à l'orange. Saler** et **poivrer.**

(2 216kj/527 kcal)

Paprikache

« Bouillon de poule » comme base.

Peler et couper en dés **3 oignons.** Laver et couper en lanières **500 g de filet de dinde.**

Faire revenir ces ingrédients dans **3 c.s. de beurre clarifié. Saler, poivrer** et assaisonner **de paprika.**

Mouiller avec **1 l de bouillon de poule** puis compter environ 20 minutes de cuisson à petit feu.

Laver et effeuiller **quelques brins d'estragon** et les incorporer au bouillon de même que **3 c.s. de purée de poivron.**

Ajouter **100 g de crème fermentée** et assaisonner d'**ail et d'oignon en poudre.**

Servir la soupe dans des assiettes.
(3 074 kj/732 kcal)

Soupe de courgette

« Bouillon de poule » comme base.

Laver et couper en morceaux **200 g de courgettes vertes** et **200 g de jaunes.** Peler et couper en dés **2 oignons.**

Éplucher et presser **2 gousses d'ail.** Faire revenir le tout dans **2 c.s. d'huile d'olive**. Saupoudrer **de 4 c.s. de farine.**

Mouiller avec **1 l de bouillon de poule et** compter environ 5 minutes de cuisson à petit feu.

Ajouter **100 g de pâtes fraîches** et les cuire environ 4 minutes. Laver et effeuiller **quelques brindilles de thym.**

Les incorporer au bouillon. **Saler, poivrer** et assaisonner de **paprika.** Lier avec **150 g de crème fraîche.**

Servir la soupe dans des assiettes et la parsemer de **thym frais.**
(2 665 kj/634 kcal)

Soupe à la pintade

« Bouillon de poule » comme base.

Laver et couper en lanières **400 g de filet de pintade.** Assaisonner de **3 gousses d'ail** épluchées et pressées.

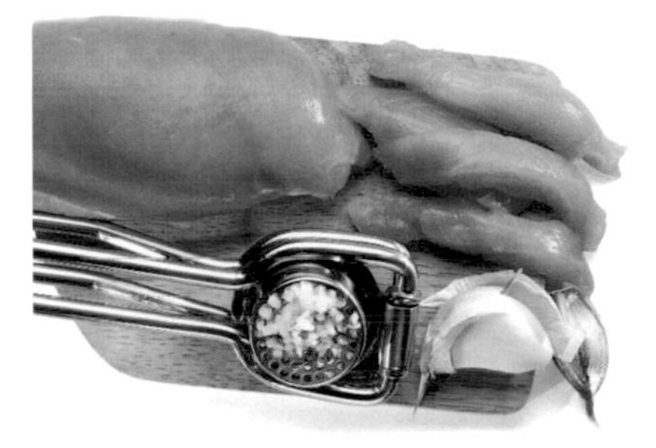

Peler et couper en dés **3 oignons rouges.** Faire revenir tous les ingrédients dans **4 c.s. de beurre aux fines herbes.** Laver et couper en rondelles **200 g de carottes.** Hacher finement les fanes.

Les mélanger à la chair de pintade et mouiller avec **1 l de bouillon de poule.**

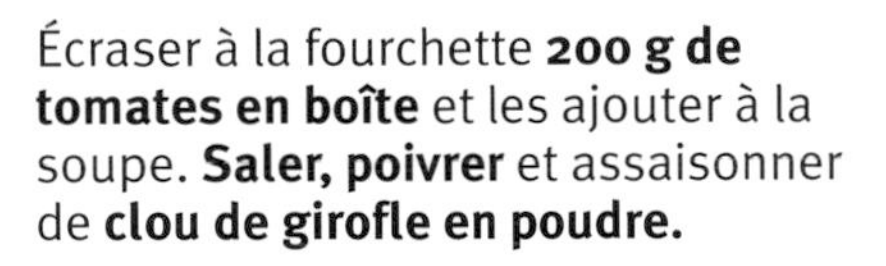

Écraser à la fourchette **200 g de tomates en boîte** et les ajouter à la soupe. **Saler, poivrer** et assaisonner de **clou de girofle en poudre.**

Égoutter **2 c.s. de câpres** et les incorporer à la soupe de même que **100 g de crème fraîche.**

Servir la soupe dans des assiettes et la parsemer de **fines herbes.**
(3 462 kj/824 kcal)

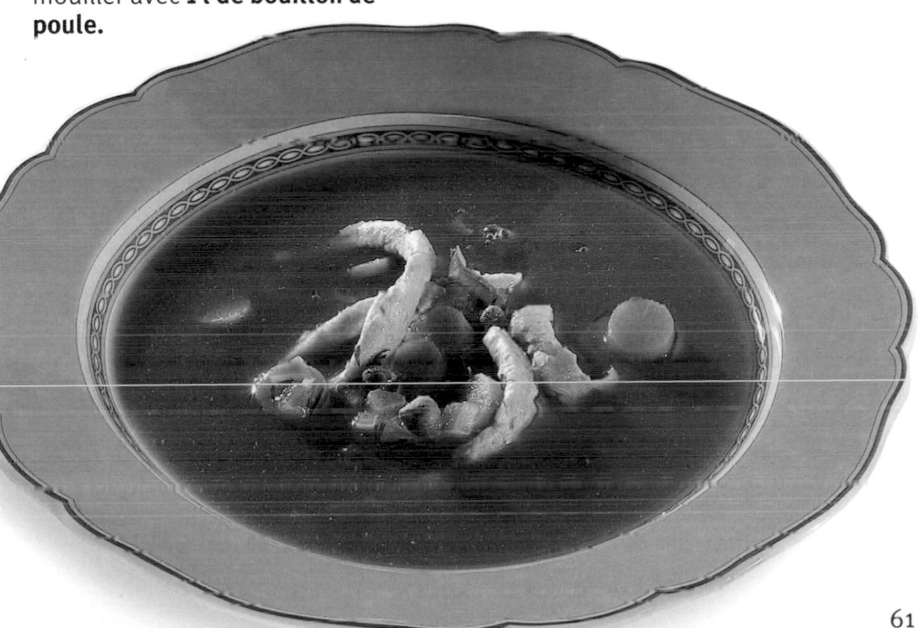

Bouillon de dinde

« Bouillon de poule » comme base.

Laver, essuyer et couper en morceaux **500 g de cou de dinde**. Laver et couper en brunoise **2 garnitures aromatiques.**

Faire revenir le tout dans **3 c.s. d'huile.** Déglacer avec **250 ml de bière blonde** et mouiller avec **750 ml de bouillon de poule.**

Ajouter **1 feuille de laurier, 5 grains de poivre de la Jamaïque** et du **sel**. Compter environ 30 minutes de cuisson à petit feu.

Passer le bouillon à l'étamine et le servir parsemé de **fines herbes.**
(3 078 kJ/733 kcal)

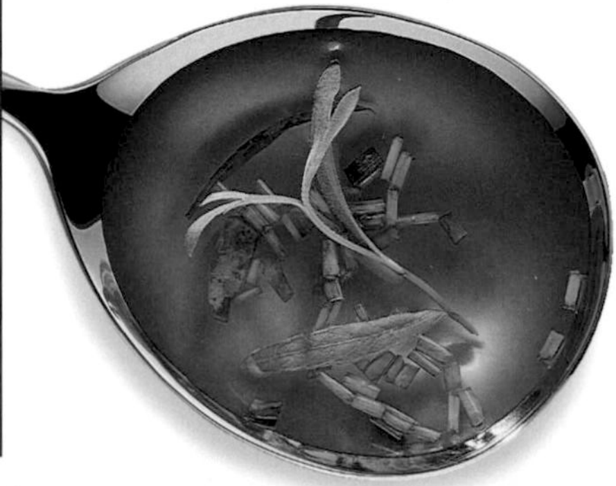

Soupe au poivron

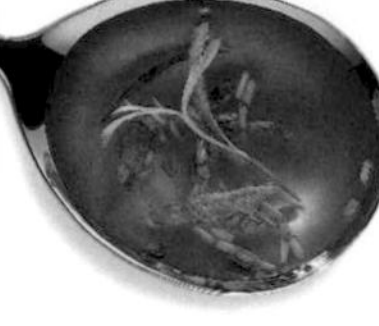

« Bouillon de poule » comme base.

Laver et couper en lanières **300 g de poivrons jaunes**. Dans **3 c.s. de beurre aux fines herbes**, faire revenir **200 g de chair de dinde précuite.** Mélanger aux poivrons.

Mouiller avec **1 l de bouillon de poule**. Ajouter **3 c.s. de purée de poivron et 3 c.s. de jus de citron.**

Faire dorer **4 c.s. de chapelure** dans **un peu de beurre à l'ail.**

En saupoudrer la soupe et la servir.
(4 319 kJ/1 028 kcal)

Soupe aux bettes

« Bouillon de poule » comme base.

Nettoyer, laver et couper en lanières **200 g de bettes**. Peler et émincer **2 échalotes.**

Faire revenir le tout dans **2 c.s. d'huile.** Ajouter **2 gousses d'ail** épluchées et pressées.

Mélanger à **1 l de soupe au poivron**. Laisser frémir environ 5 minutes. Incorporer **2 c.s. de moutarde au miel** et assaisonner de **paprika.**

Servir la soupe.
(4 883 kJ/1 162 kcal)

Soupe riz-céréales

« Soupe riz-céréales » comme base.

Cuire **100 g de riz** et **de céréales** dans de l'eau salée en se conformant aux indications sur le paquet. Égoutter le mélange et le verser dans **1 l de soupe de bettes. Saler** et **poivrer.**

(5 237 kj/1 247 kcal)

Soupe riz-œufs

« Soupe riz-céréales » comme base.

Battre **4 œufs** séparément. Les faire glisser et pocher dans de **l'eau additionnée de sel et de vinaigre**. Mettre 1 œuf par assiette et verser dessus **1 l de soupe riz-céréales.**

(5 649 kj/1 344 kcal)

Soupe riz-pesto

« Soupe riz-œufs » comme base.

Laver, essorer et ciseler **quelques brins de persil, de basilic et de thym.** Les incorporer à **1 l de soupe riz-œufs** puis compter environ 8 minutes de cuisson à petit feu.

(5 714 kJ/1 360 kcal)

Suggestion

Vous pouvez accompagner les soupes de grossins saupoudrés de fromage et gratinés.

Soupes à la volaille

« Bouillon de poule » comme base.

Laver et couper en lanières **300 g de blanc de poulet** et **200 g de foie de volaille.**

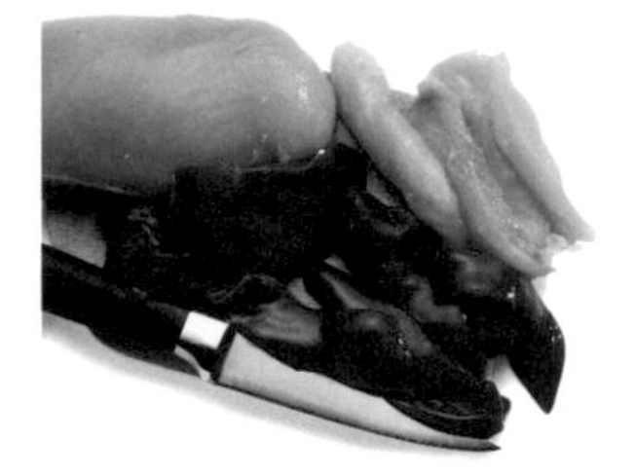

Peler et émincer **1 oignon**. Laver, couper en deux puis en dés **2 pommes**. Les **citronner**.

Couper en lanières **100 g de lard fumé.** Le faire rissoler dans **2 c.s. de beurre**. Saisir les autres ingrédients puis mouiller avec **1 l de bouillon de poule.**

Compter environ 10 minutes de cuisson à petit feu. Lier avec **150 g de crème fermentée. Saler, poivrer** et assaisonner de **noix muscade.**

(3 798 kj/304 kcal)

Soupe valaisane

« Bouillon de poule » comme base.

Faire chauffer **1 l de bouillon de poule.** Incorporer **4 c.s. de semoule de maïs.** Battre **4 œufs.**

Les additionner de **persil** (1 bouquet lavé, essoré et ciselé). Les verser lentement dans le bouillon. **Saler** et **poivrer**.

Laver **3 tomates**, les ébouillanter, les concasser et les ajouter au bouillon. Compter environ 4 minutes de cuisson à petit feu. Râper **200 g d'emmenthal.**

L'incorporer à la soupe et servir.

(3 049 kj/726 kcal)

Soupe dinde-maïs

« Bouillon de poule » comme base.

Laver et couper en lanières **200 g d'escalope de dinde. Saler, poivrer** et assaisonner de **paprika.**

Égoutter **200 g de maïs en boîte.** Laver et hacher finement **1 piment.** Éplucher et hacher **2 gousses d'ail.**

Faire revenir le tout dans 2 **c.s. d'huile. Saler** et **poivrer**. Mouiller avec **1 l de bouillon** de poule et compter environ 15 minutes de cuisson à petit feu.

Incorporer **100 g de fromage fondu** et servir.

(3 166 kj/754 kcal)

Soupe indonésienne

« Bouillon de poule » comme base.

Laver et couper en lanières **100 g de blanc de poulet**. Mélanger **2 c.s. de saké** et autant **de sauce soja.**

Incorporer ces ingrédients ainsi que **50 g de pâtes** et **100 g de poireaux à 1 l de bouillon de poule.**

Assaisonner d'un peu de **gingembre fraîchement râpé**, de **cumin** et de **coriandre en poudre.**

Servir la soupe dans des bols et rectifier l'assaisonnement **en cumin.**
(1 814 kj/432 kcal)

Soupe aux navets

« Bouillon de poule » comme base.

Faire cuire dans **1 l de bouillon de poule 500 g de navets** lavés, épluchés et coupés en dés.

Faire revenir **3 saucisses à la volaille** dans **3 c.s. de beurre bien chaud** puis les couper en tranches.

Mixer la soupe. **Saler** et **poivrer**. Lier avec **100 g de crème fermentée** et ajouter les tranches de saucisse.

Servir la soupe parsemée de **fines herbes.**
(3 541 kj/843 kcal)

Bouillon à l'ananas

« Bouillon de poule » comme base.

Laver et couper en lanières **200 g de blanc de pintade**. Saisir la chair de pintade dans **2 c.s. d'huile. Saler** et **poivrer.**

Ouvrir **1 avocat** en deux, retirer la pulpe et la couper en petits morceaux. La **citronner**.

Mettre la chair de pintade dans **1 l de bouillon de poule**. Cuire à petit feu env. 10 min. Ajouter la chair d'avocat et **2 c.s. de jus d'orange.**

Saler et **poivrer**. Faire chauffer dans le bouillon **100 g d'ananas en morceaux** (en boîte) et servir.
(2 572 kj/612 kcal)

Bouillon de canard

Laver et essuyer **1 kg de chair de canard, 150 g de gésier** et **150 g de foie de volaille.** Éplucher et couper en morceaux **2 carottes** et une moitié de **céleri-rave**. Laver et couper en quartiers **3 tomates**. Faire revenir le tout dans **3 c.s. de graisse d'oie** bien chaude. Déglacer avec **400 ml de vin rouge** et mouiller avec **800 ml d'eau**. Saler, ajouter de la **sauge, 1 c.c. de grains de poivre** et autant de **poivre de la Jamaïque**. Compter env. 1 heure 30 minutes de cuisson à petit feu puis filtrer le bouillon en le passant à l'étamine. Servir le canard à part.

(4 284 kJ/1 220 kcal)

Bouillon au malt

Laver, essuyer et couper en lanières **2 magrets de canard**. Les faire revenir dans **2 c. à s. de beurre clarifié. Saler** et **poivrer.** Mouiller avec **500 ml de bière au malt** et **500 ml de bouillon de canard**. Assaisonner de **cardamome.**

(3465 kJ/825 kcal)

Velouté viennois

Éplucher et râper **70 g de raifort.** L'incorporer **à 150 g de crème double additionnée de 2 c.s. de vin rouge.** Mélanger à **1 l de bouillon de canard**. Laisser frémir environ 15 minutes. **Saler** et **poivrer.**

(3 390 kJ/807 kcal)

Bouillon aux artichauts

Égoutter et couper en morceaux **200 g d'artichauts en boîte.** Laver et couper en lanières **250 g de magret de canard**. Faire tiédir les ingrédients dans **1 l de bouillon de canard,** environ 10 minutes.

(4078 kJ/971 kcal)

« Bouillon au malt » comme base.

Soupe aux pruneaux

Laver et couper en dés **100 g de pruneaux secs dénoyautés**. Faire dorer **1 tranche de pain de seigle** dans **2 c.s. de beurre au poivre**. Mouiller avec **1 l de bouillon.**

(4 128 kj/983 kcal)

Soupe bruxelloise

Dorer **200 g de choux de Bruxelles précuits** dans **2 c.s. de beurre clarifié. Saler, poivrer** et ajouter **1 l de bouillon au malt.** Faire gratiner avec **100 g de fromage.**

(4 335 kj/1 032 kcal)

Soupe aux haricots

Laver **200 g de haricots verts,** les couper en morceaux et les faire revenir dans **2 c.s. de beurre aux fines herbes.** Ajouter **2 gousses d'ail** pressées et **1 l de bouillon.**

(3851 kj/917 kcal)

« Velouté viennois » comme base.

Soupe au pain rassis

Tremper **300 g de pain rassis** coupé en dés dans **3 œufs** additionés de **sel,** de **poivre** et de **noix muscade.** Incorporer à **1 l de velouté viennois** et laisser frémir env. 15 minutes.

(4530 kJ/1 078 kcal)

Soupe au hachis

Hacher finement la chair de **4 cuisses de canard** et la faire rissoler dans **2 c.s. de beurre clarifié.** Ajouter de la **sauge ciselée** et **1 l de velouté viennois.**

(4 398 kj/1 047 kcal)

Soupe aux noisettes

Faire revenir dans du **beurre** respectivement **100 g d'amandes** et **de noisettes broyées** ainsi que **100 g de filet de dinde** coupé en lanières. Ajouter **1 l de velouté viennois** et laisser frémir env. 10 min.

(5 224 kj/1 244 kcal)

« Bouillon aux artichauts » comme base.

Soupe au riz basmati

Faire cuire **100 g de riz basmati** dans **1 l de bouillon.** Additionner de **4 c.s. de crème à la noix de coco. Saler, poivrer** et ajouter **2 c.s. de jus de citron.**

(4 628 kj/1 102 kcal)

Soupe italienne

Faire cuire **100 g de tortellinis frais** dans **1 l de bouillon aux artichauts. Saler** et **poivrer.**

(4 460 kj/1 062 kcal)

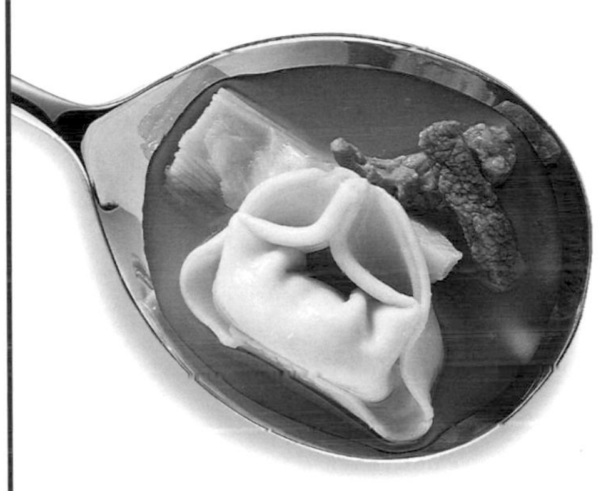

Soupe paradis

Faire revenir **200 g de tomates concassées** dans **2 c.s. de graisse d'oie.** Incorporer **1 c.s. de pâté de canard.** Mouiller avec **1 l de bouillon.** Laisser frémir env. 10 minutes et mixer.

(4 768 kj/1 135 kcal)

Soupe au miso

« Bouillon de canard » comme base.

Gratter et couper en rondelles **100 g de carottes.** Nettoyer, laver et émincer **200 g de poireaux.**

Laver et escaloper **500 g de magret de canard.** Faire revenir ces ingrédients dans **3 c.s. d'huile.**

Mouiller avec **1 l de bouillon de canard** et laisser frémir environ 10 minutes.

Ajouter **2 gousses d'ail** épluchées et pressées, **4 c.s. de sauce soja** et **1 c.s. de pâte miso.**

Déglacer avec **50 ml de saké**. Laver et effeuiller quelques brins **d'estragon** et les ajouter.

Servir la soupe dans des bols.
(5 670 kj/1 350 kcal)

Soupe canard et orange

« Bouillon de canard » comme base.

Laver et essuyer **2 magrets et 2 cuisses de canard** sans peau. Faire cuire à petit feu, environ 20 minutes, dans **1 l de bouillon de canard.**

Incorporer **2 c.s. de confiture d'orange amère** de même que le zeste d'**une moitié d'orange non traitée.**

Retirer du faitout les magrets et les cuisses, les couper en morceaux et les rajouter à la préparation.

Ajouter **100 ml de vin rouge. Saler** et **poivrer.**

Faire chauffer dans la soupe **150 g de riz précuit.** Rectifier l'assaisonnement avec **un peu de jus d'orange.**

Servir la soupe dans des bols.
(4 163 kj/991 kcal)

Soupe canard et oignons

« Bouillon de canard » comme base.

Peler et émincer **4 oignons rouges.** Laver et couper en tranches **300 g de magret de canard.**

Faire revenir ces ingrédients dans **3 c.s. de beurre. Saler** et **poivrer.** Déglacer avec **2 c.s. de vin rosé.**

Mouiller avec **1 l de bouillon de canard** et laisser frémir environ 8 minutes.

Laver, essorer et ciseler quelques brins de **basilic** et de **persil.**

Incorporer les fines herbes de même que quelques giclées de **sauce Worcester** et **100 g de crème fraîche.**

Servir la soupe dans des bols.
(5 121 kj/1 219 kcal)

Soupe au chou pointu

« Bouillon de canard » comme base.

Nettoyer, laver et couper en lanières **200 g de chou pointu.** Le faire revenir dans **2 c.s. de beurre clarifié.**

Mouiller avec **1 l de bouillon de canard. Saler, poivrer** et assaisonner **de cumin en poudre.**

Faire revenir **100 g de magret de canard coupé en lanières** et **60 g de chapelure** dans **2 c.s. de beurre aux fines herbes.**

Répartir dans des assiettes et ajouter la soupe.
(4 318 kJ/1 028 kcal)

Soupe aux topinambours

«Soupe au chou pointu » comme base.

Laver, éplucher et couper en dés **200 g de topinambours.** Les faire revenir dans **2 c.s. de saindoux.**

Ajouter **2 gousses d'ail** épluchées et pressées, du **gros sel marin**, du **poivre** et de **la noix muscade fraîchement râpée.**

Ajouter **1 l de soupe au chou pointu.** Dans une poêle, faire griller à sec **4 c.s. de graines de sésame.**

Servir la soupe parsemée de **graines de sésame.**
(5 019 kJ/1 195 kcal)

Soupe au persil

« Soupe aux topinambours » comme base.

Laver, éplucher et couper en rondelles **100 g de carottes** et **100 g de bulbe de persil.**

Faire revenir ces ingrédients dans **2 c.s. de beurre clarifié. Saler, poivrer et** assaisonner **de paprika.** Mouiller avec **1 l de soupe aux topinambours.**

Faire frire à l'huile **100 g de lard coupé en dés.**

Servir la soupe garnie **de lardons.**
(6 248 kJ/1 487 kcal)

Soupe persil-amandes

« Soupe au persil » comme base.

Égoutter et couper en morceaux **4 tomates séchées, à l'huile.** Faire griller **100 g d'amandes.** Incorporer ces ingrédients à **1 l de soupe au persil** et laisser frémir 5 minutes.
(7 011 kj/1 669 kcal)

Soupe aux céréales

« Soupe persil-amandes » comme base.

Incorporer à **1 l de soupe persil-amandes 2 c.s. de céréales, 2 c.s. de gruau de seigle** et **1 c.s. de livèche ciselée. Saler, poivrer** et assaisonner de **paprika.**
(7 147 kj/1 701 kcal)

Soupe au pé-tsaï

« Soupe aux céréales » comme base.

Nettoyer, laver et couper en lanières **200 g de pé-tsaï.** Faire revenir dans **2 c.s. de beurre aux fines herbes.** Incorporer **à 1 l de soupe persil-amandes.** Ajouter de la sauce **soja** et du **sambal oelek.**
(7 493 kj/1 784 kcal)

Suggestion

Au moment de servir, on peut ajouter de l'oignon frit à toutes ces soupes.

Soupe citronnée

« Bouillon de canard » comme base.

Laver, essuyer et couper en lanières **400 g de magret de canard** sans peau. **Saler** et **poivrer.**

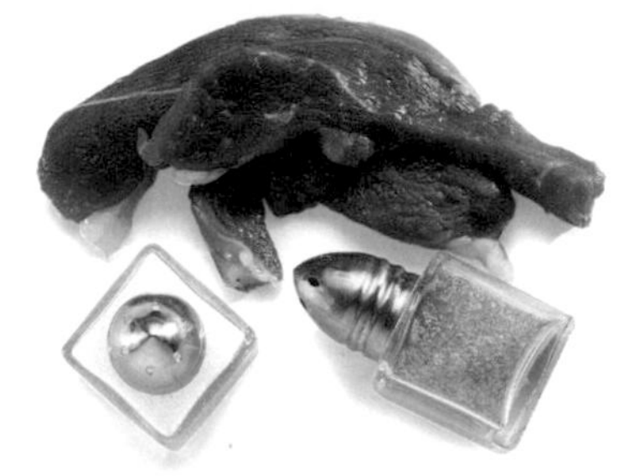

Faire revenir dans **2 c.s. d'huile.** Déglacer avec le jus de **2 citrons.**

Ajouter **un demi-bouquet de persil** lavé, essoré et ciselé de même que le zeste d'une **moitié de citron non traité.**

Mouiller avec **1 l de bouillon de canard,** compter environ 6 minutes de cuisson à petit feu puis servir.
(4 175 kj/994 kcal)

Bouillon au saké

« Bouillon de canard » comme base.

Laver, essuyer et couper en tranches **600 g de magret de canard** puis faire mariner dans **3 c.s. de saké.**

Nettoyer, laver et couper en rondelles **1 botte d'oignons frais.** Les faire revenir avec la chair de canard dans **2 c.s. d'huile.**

Mouiller avec **1 l de bouillon de canard** additionné de **5 c.s. de sauce soja**. Égoutter **200 g d'ananas en boîte,** coupé en morceaux et les ajouter à la préparation.

Servir le bouillon dans des assiettes.
(5 071 kj/1 207 kcal)

Soupe aux tortellinis

« Bouillon de canard » comme base.

Faire cuire dans **1 l de bouillon de canard 100 g de tortellinis frais, farcis au jambon.**

Peler et émincer **2 oignons**. Ajouter **2 gousses d'ail** épluchées et pressées. Égoutter **200 g de fèves en boîte.**

Faire revenir tous les ingrédients dans **3 c.s. de beurre au poivre.**

Incorporer au bouillon et compter environ 4 minutes de cuisson à petit feu. **Saler** et **poivrer**. Servir la soupe dans des assiettes.
(4 016 kj/956 kcal)

Soupe aux endives

« Bouillon de canard » comme base.

Éplucher **150 g d'oignons grelots** et les faire suer dans **3 c.s. de beurre pour grillades.** Saupoudrer d'**une c.s. de sucre brun** et les caraméliser.

Nettoyer et couper en tronçons **300 g d'endives.** Les ajouter aux oignons. **Saler** et **poivrer.**

Ajouter **200 g de magret de canard coupé en dés**. Assaisonner de **noix muscade fraîchement râpée.**

Mouiller avec **1 l de bouillon de canard.** Compter environ 6 minutes de cuisson à petit feu puis servir dans des assiettes.
(4 005 kJ/953 kcal)

Soupe jardin de lotus

« Bouillon de canard » comme base.

Laver **6 cuisses de canard** et les faire cuire environ 10 minutes dans **1 l de bouillon de canard.** Hacher finement **2 branches de citronnelle.**

Retirer les cuisses de canard et les laisser refroidir. Ajouter au bouillon **300 g de légumes surgelés (mélange chinois)**. Compter environ 4 minutes de cuisson à petit feu.

Couper la chair en morceaux et la rajouter au bouillon. Saler, poivrer et assaisonner de **gingembre fraîchement râpé** et **de sambal oelek**.

Servir la soupe dans des assiettes.
(3 987 kJ/949 kcal)

Soupe au céleri

« Bouillon de canard » comme base.

Laver, essuyer et couper en lanières **400 g de magret de canard** (avec la peau). Ajouter **2 gousses d'ail** épluchées et pressées.

Faire cuire env. 6 min dans **1 l de bouillon de canard**. Ajouter **400 g de céleri-branche** effilé et coupé en tronçons, de même que **2 c.s. de vinaigre de xérès**. Laisser frémir environ 4 minutes.

Saler, poivrer et assaisonner d'une giclée de **tabasco**. Laver, essorer, ciseler et incorporer **quelques brins d'aneth.**

Servir la soupe dans des assiettes.
(4 893 kJ/1 165 kcal)

Bouillon d'oie

Laver et essuyer **800 g de chair d'oie**. Nettoyer, laver et couper en morceaux **1 garniture aromatique**. Peler et couper en morceaux **3 échalotes. Saler** et **poivrer.** Faire revenir tous ces ingrédients dans **3 c.s. de beurre clarifié.** Déglacer avec **500 ml de vin rouge** et mouiller avec **800 ml d'eau.** Ajouter **3 baies de genièvre** et **1 c.s. de grains de poivre.** Laisser frémir environ 1 heure. Une vingtaine de minutes avant la fin de la cuisson, ajouter **1 bouquet de persil** lavé, essoré et ciselé. Finalement, filtrer le bouillon en le passant à l'étamine. Servir la chair d'oie à part.
(4 592 kj/1 093 kcal).)

Bouillon au raifort

Faire un roux avec **40 g de beurre** et **40 g de farine.** Mouiller avec **1 l de bouillon d'oie. Saler, poivrer** et assaisonner de **noix muscade.** Ajouter **2 c.s. de raifort à la crème, 2 c.s. de vin blanc** et **2 c.s. de crème double.**
(3 655 kj/870 kcal)

Bouillon à la russe

Faire chauffer dans **800 ml de bouillon d'oie 200 g de betteraves rouges au vinaigre.** Ajouter **80 g de pommes** et **80 g de poires** coupées en petits dés. **Saler, poivrer** et assaisonner de **gingembre** et de **moutarde en poudre.**
(3 790 kj/902 kcal)

Bouillon à l'allemande

Peler et émincer **2 oignons.** Les faire revenir dans **2 c.s. de graisse d'oie.** Ajouter **2 c.s. de marjolaine émiettée.** Déglacer avec **2 c.s. de liqueur aux herbes** et mouiller avec **1 l de bouillon d'oie.** Laisser frémir environ 10 minutes.
(3 488 kj/830 kcal)

« Bouillon au raifort » comme base.

Velouté simple

Écraser **200 g de pommes de terre.** Les incorporer à **1 l de bouillon au raifort. Saler, poivrer** et assaisonner de **paprika.** Parsemer de **fines herbes.**

(3 654 kj/870 kcal)

Velouté aux spätzle

Faire cuire **100 g de spätzle** (produit frais) dans **1 l de bouillon au raifort.** Ajouter **1 bouquet de persil** lavé et ciselé. **Saler** et **poivrer.**

(3 738 kj/890 kcal)

Velouté au concombre

Égoutter et couper en morceaux **200 g de concombre mariné.** Faire tiédir à petit feu, environ 10 minutes, dans **1 l de bouillon au raifort** additionné du jus de concombre.

(3 675 kj/875 kcal)

« Bouillon à la russe » comme base.

Soupe au foie d'oie

Couper en laniéres **200 g de foie d'oie** et le faire revenir dans **2 c.s. de beurre à l'ail. Saler** et **poivrer.** Mouiller avec **1 l de bouillon à russe.**

(4 212 kj/1 003 kcal)

Soupe aux marrons confits

Faire fondre **2 c.s. de sucre brun** et confire 200 g de brisures de marron. Répartir sur des assiettes et verser dessus **1 l de bouillon à la russe.**

(5 014 kj/1 194 kcal)

Velouté aux airelles

Faire rissoler **80 g de lard** coupé en morceaux. Ajouter **2 c.s. d'airelles et 100 g de crème fermentée.** Mouiller avec **1 l de bouillon** et laisser frémir 10 minutes.

(5 182 kj/1 234 kcal)

« Bouillon à l'allemande » comme base.

Soupe bavaroise

Préparer **4 knödel** en se conformant aux indications sur le paquet. Les couper en tranches et les incorporer à **1 l de bouillon à l'allemande.**

(3 983 kj/948 kcal)

Bouillon au pâté de foie

Incorporer à **1 l de bouillon à l'allemande** (bien chaud) **4 c.s. de pâté de foie d'oie truffé. Saler, poivrer** et assaisonner **d'ail en poudre.** Laisser frémir 8 minutes.

(4053 kJ/965 kcal)

Soupe au fromage

Verser **250 ml de bouillon à l'allemande** par assiette (4 en tout). Ajouter à chaque portion **30 g de fromage** et faire gratiner au four.

(3 929 kj/935 kcal)

Soupe strasbourgeoise

« Bouillon d'oie » comme base.

Peler et émincer **3 oignons.** Les faire revenir avec **300 g de chair à saucisse** dans **3 c.s. de graisse d'oie.**

Saler, poivrer et assaisonner de **cumin en poudre**. Égoutter **200 g de choucroute au champagne** (produit en boîte).

Mélanger tous les ingrédients et mouiller avec **1 l de bouillon d'oie.**

Incorporer **100 g de pâté de foie d'oie** additionné de **2 c.s. de crème fermentée.**

Saler et **poivrer**.

Servir la soupe dans des assiettes.
(5 216 kJ/1 242 kcal)

Soupe Martini

« Bouillon d'oie » comme base.

Laver et désosser **2 cuisses d'oie.** Les cuire environ 15 minutes à petit feu dans **1 l de bouillon d'oie.**

Faire ramollir environ 5 minutes **200 g de pruneaux secs** dans **300 ml de vin blanc.** Puis, les égoutter et les couper en morceaux. Peler et couper en tranches **250 g de bulbe de persil.**

Retirer du bouillon la chair de canard et la couper en morceaux. Ajouter le bulbe de persil et les pruneaux et laisser frémir environ 4 minutes.

Laver et effeuiller **quelques brins de thym et de marjolaine.** Les incorporer au bouillon, de même que la chair de canard.

Ajouter **3 c.s. de compote de pomme.** Dans une poêle, faire griller à sec **4 c.s. d'amandes effilées.**

Servir la soupe dans des assiettes. Parsemer **d'amandes grillées.**
(5 411 kJ/1 288 kcal)

Bouillon au paprika

« Bouillon d'oie » comme base.

Laver **250 g de poivrons rouges,** les couper en deux puis en lanières une fois épépinés. Peler et émincer **200 g d'échalotes.**

Faire revenir les poivrons et les échalotes dans **3 c.s. de beurre clarifié.** Ajouter **3 gousses d'ail** épluchées et pressées.

Mouiller avec **1 l de bouillon d'oie** et compter environ 5 minutes de cuisson à petit feu.

Saler, poivrer et assaisonner de **cumin en poudre.**

Superposer **2 feuillets de pâte** et les abaisser. Découper des étoiles à l'emporte-pièce. Les badigeonner de **jaune d'œuf battu** et les faire dorer au four (grille moyenne) environ 10 minutes.

Servir le bouillon dans des assiettes. Garnir **d'étoiles en pâte feuilletée.**
(4 061 kJ/967 kcal)

Consommé d'oie

« Bouillon d'oie » comme base.

Cuire environ 1 heure, dans **1 l de bouillon d'oie, 200 g de cuisse d'oie** lavée et essuyée, de même que **300 g de garniture aromatique.**

Ajouter **3 clous de girofle, quelques grains de poivre, du poivre de la Jamaïque et 1 feuille de laurier.**

Filtrer à l'étamine. Ajouter **100 ml de vin rouge et quelques brins de marjolaine** lavée et effeuillée.

Servir le consommé dans des assiettes. Le parsemer de **marjolaine.**
(3 603 kj/858 kcal)

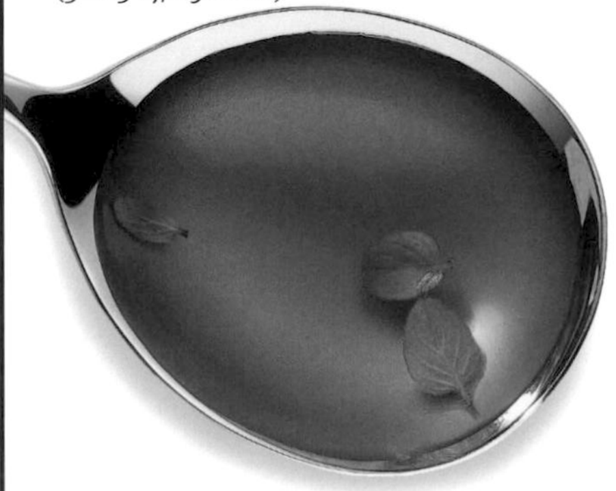

Soupe aux fèves

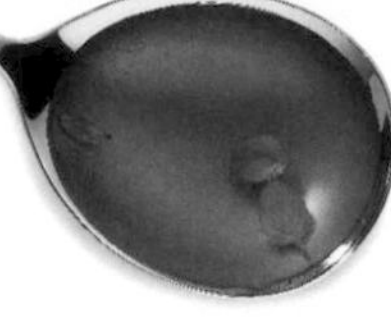

« Bouillon d'oie » comme base.

Égoutter dans une passoire **200 g de fèves.** Ajouter **2 gousses d'ail** épluchées et pressées.

Faire revenir ces ingrédients dans **2 c.s. de beurre aux fines herbes. Saler, poivrer** et assaisonner de **clou de girofle en poudre.**

Mouiller avec **1 l de consommé d'oie.** Ajouter **2 brins de sarriette** lavée, essorée et ciselée.

Servir la soupe.
(4 099 kj/976 kcal)

Soupe au porc fumé

« Bouillon d'oie » comme base.

Désosser **200 g de côtelette de porc fumé** et couper la chair en lanières. Peler et émincer **1 oignon.**

Faire revenir ces ingrédients dans **1 c.s. de saindoux.** Incorporer **2 c.s. de concentré de tomate.**

Mouiller avec **1 l de soupe aux fèves.** Lier avec **100 g de crème fermentée.**

Saler et poivrer puis servir la soupe.
(5 135 kj/1 222 kcal)

Soupe « Médicis »

« Soupe au porc fumé » comme base.

Ébouillanter, peler et concasser **200 g de tomates.** Les cuire environ 6 minutes dans **1 l de soupe au porc fumé.** Ajouter **2 gousses d'ail** épluchées et **pressées. Saler** et **poivrer.**
(5 175 kj/1 232 kcal)

Soupe fèves-saucisse

« Soupe Médicis » comme base.

Couper en lanières **100 g de saucisse à l'ail.** Faire chauffer, avec **1 demi-bouquet de persil** lavé, essoré et ciselé, dans **1 l de soupe » Médicis «. Saler** et **poivrer.**
(5 174 kj/1 360 kcal)

Soupe au saindoux

« Soupe fèves-saucisse » comme base.

Incorporer **4 c.s. de chapelure à 4 c.s. de graisse d'oie.** L'ajouter à **1 l de soupe » fèves-saucisse «** (divisé en quatre portions) et faire dorer sous le gril. Lier avec un peu de **crème.**
(6 827 kj/1 623 kcal))

Suggestion

Additionnées d'ail et de fines herbes, ces soupes sont encore plus savoureuses.

Soupe maraîchère

« Bouillon d'oie » comme base.

Éplucher et couper en bâtonnets **100 g de bulbe de persil, 100 g de panais** et **100 g de céleri-rave.**

Laver et couper en rondelles **100 g de carottes.** Peler et émincer **1 botte d'oignons frais.** Laver et couper en lanières **200 g de magret d'oie.**

Faire revenir tous les ingrédients dans **3 c.s. de saindoux. Saler** et **poivrer.** Mouiller avec **1 l de bouillon d'oie.**

Ajouter **2 c.s. de jus d'orange**. Assaisonner de poivre et servir.
(4 648 kj/1 106 kcal)

Soupe princesse

« Bouillon d'oie » comme base.

Laver et essuyer **600 g de haricots princesse.** Peler et émincer **2 oignons.** Ajouter **2 gousses d'ail** épluchées et pressées.

Dans une poêle, faire revenir **100 g de lard** coupé en lanières. Ajouter les autres ingrédients. **Saler, poivrer** et assaisonner d'une giclée de **tabasco.**

Déglacer avec **2 c.s. de cognac.** Mouiller avec **1 l de bouillon d'oie**. Incorporer **quelques brins de basilic** lavé, essoré et ciselé.

Servir la soupe dans des assiettes.
(4 075 kj/970 kcal)

Soupe de Poméranie

« Bouillon d'oie » comme base.

Couper en lanières **500 g de chair d'oie.** Peler et émincer **4 oignons.**

Nettoyer et couper en rondelles **200 g de poireaux.** Faire revenir tous les ingrédients dans **2 c.s. de beurre aux fines herbes.**

Ajouter **300 g de fruits (mélange pâtissier).** Mouiller avec **1 l de bouillon d'oie. Saler** et **poivrer.** Compter environ 8 minutes de cuisson à petit feu.

Servir la soupe additionnée d'un peu de **poivre citronné.**
(4 669 kj/1 111 kcal)

Soupe oie-lentilles

« Bouillon d'oie » comme base.

Faire tremper toute une nuit **200 g de lentilles.** Laver, essuyer et couper en lanières **300 g de foie d'oie.**

Le faire revenir dans **2 c.s. de graisse d'oie.** Ajouter **2 gousses d'ail** épluchées et pressées. Égoutter et couper en rondelles **100 g de concombre mariné.**

Mouiller avec **1 l de bouillon d'oie.** Égoutter les lentilles et les incorporer, de même que le concombre. Laisser frémir environ 6 minutes.

Servir la soupe parsemée de **fines herbes.**
(4 788 kj/1 140 kcal)

Velouté au foie

« Bouillon d'oie » comme base.

Laver **300 g de foie** d'oie, le couper en lanières et le faire tremper dans du **lait** environ 1 heure.

Puis, égoutter et essuyer. Peler et émincer **1 gros oignon.** Éplucher et couper **2 pommes** en quartiers.

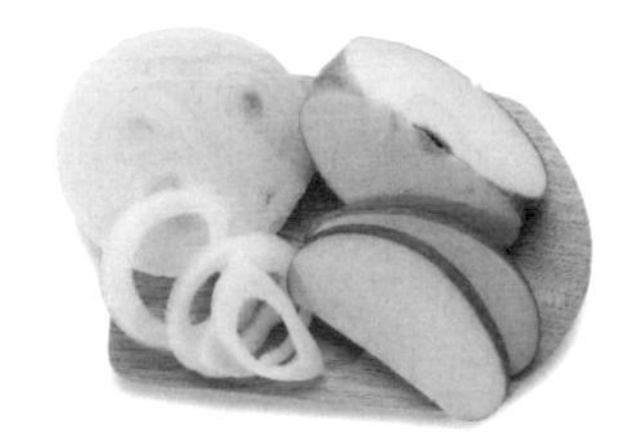

Faire revenir le foie et l'oignon dans **2 c.s. de graisse d'oie.** Mouiller avec **1 l de bouillon d'oie** et laisser frémir environ 6 minutes.

Retirer le foie. Ajouter les pommes et réduire en purée. Lier avec **2 c.s. de crème fraîche.** Rajouter le foie au moment de servir.
(4 487 kj/1 068 kcal)

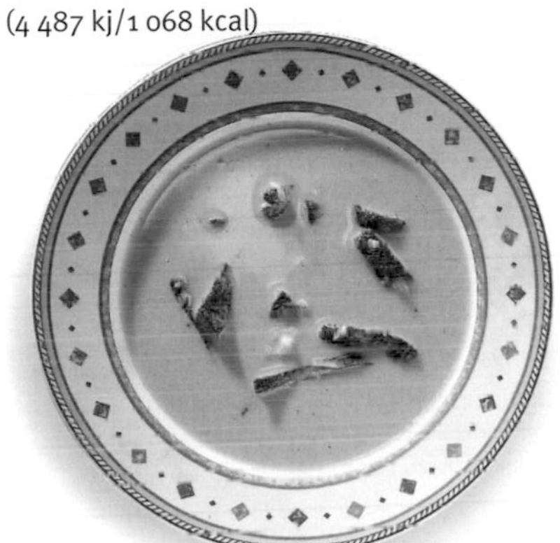

Potage aux magrets

« Bouillon d'oie » comme base.

Laver et couper en dés **500 g de magret d'oie. Saler, poivrer** et assaisonner de **piment en poudre.**

Peler et émincer **2 oignons.** Éplucher et hacher finement **2 gousses d'ail.** Laver **300 g de champignons de Paris bistres.** Faire revenir ces ingrédients dans **2 c.s. d'huile.**

Mouiller avec **1 l de bouillon d'oie.** Incorporer **1 bouquet de persil** lavé, essoré et ciselé.

Servir le potage dans des assiettes.
(4 990 kj/1 188 kcal)

Bouillon de gibier à plumes

Parer, laver et essuyer **1 kg de gibier à plumes**. Laver et essuyer **200 g d'abats de volaille**. Nettoyer, laver et couper en morceaux **1 garniture aromatique**. Couper en deux **2 oignons**. Faire revenir tous ces ingrédients dans **3 c.s. de beurre clarifié**. Assaisonner de **sel aux herbes et de poivre.** Déglacer avec **500 ml de vin rouge** et mouiller avec **800 ml d'eau**. Ajouter **4 baies de genièvre, 1 c.s. du mélange cinq-baies et 1 feuille de laurier**. Laisser frémir environ 1 heure. Ensuite, filtrer le bouillon en le passant à l'étamine. Détacher la chair des os et la servir à part. **Saler, poivrer** et assaisonner de **paprika**.

(2 219 kj/528 kcal).

Bouillon de caille froid

Cuire à petit feu, env. 15 min., **300 g de chair de caille** et **200 g de garniture aromatique** dans **1 l de bouillon de gibier à plumes.** Ajouter **50 ml de madère** et **50 ml de jus d'argousier.** Assaisonner de **piment** et de **clou de girofle en poudre.**

(2 157 kj/513 kcal)

Consommé de faisan

Couper en lanières **300 g de chair de faisan** et faire cuire dans **1 l de bouillon de gibier à plumes** additionné de **2 cl d'eau-de-vie de poire.** Incorporer **2 blancs d'œuf montés en neige.** Les faire prendre environ 5 minutes et servir.

(2 012 kj/479 kcal)

Bouillon fruité

Battre **2 jaunes d'œuf** additionnés de **sel,** de **poivre,** de **100 g de chair de pamplemousse** et de **3 c.s. de jus de citron.** Incorporer, sans cesser de remuer, à **1 l de bouillon de gibier à plumes.** Laisser frémir environ 4 minutes et servir.

(1 722 kj/410 kcal)

« Bouillon de caille froid » comme base.

Bouillon au pesto

Couper en deux **10 œufs durs de caille.** Mélanger les jaunes à **3 c.s. de pesto** et en garnir les blancs. Les servir avec **1 l de bouillon de caille froid.**

(2 952 kj/703 kcal)

Soupe à l'alfalfa

Couper en lanières **100 g de filet de dinde fumé.** L'ajouter, de même que **100 g de pousses alfalfa,** à **1 l de bouillon de caille froid. Saler** et **poivrer.**

(2 315 kj/551 kcal)

Bouillon oignons grelots

Égoutter **150 g d'oignons grelots** et les incorporer, de même que **100 g de chair de caille cuite et coupée en lanières,** à **1 l de bouillon de caille froid. Saler** et **poivrer.**

(2 443 kj/581 kcal)

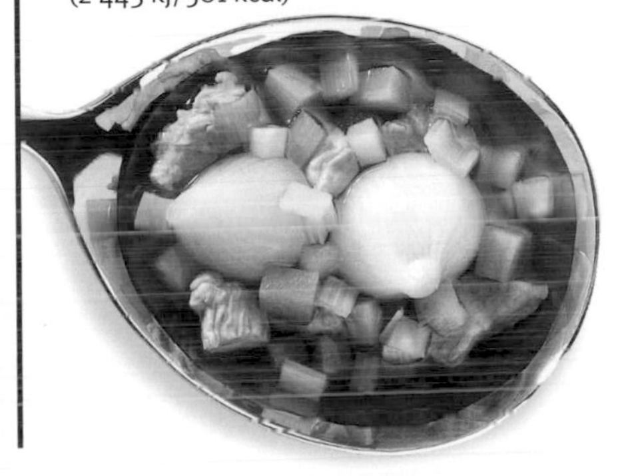

« Consommé de faisan » comme base.

Potage au blé vert

Faire revenir **100 g de blé vert** et **150 g de chair de faisan** dans **2 c.s. de beurre clarifié.** Puis cuire le tout à petit feu, environ 4 minutes, dans **1 l de consommé de faisan.** Parsemer de **ciboulette.**

(3 004 kj/715 kcal)

Consommé à l'orge

Laver **100 g d'orge perlé.** L'incorporer, de même que **100 g d'oignons frais émincés, à 1 l de consommé de faisan.** Laisser frémir environ 30 minutes. **Saler** et **poivrer.**

(2 420 kj/576 kcal)

Soupe gentilhomme

Malaxer **200 g de chair de faisan** hachée finement, **2 c.s. de graisse d'oie, 2 c.s. de chapelure** et **1 œuf.** Façonner des boulettes et les cuire dans **1 l de consommé de faisan.**

(3 039 kj/723 kcal)

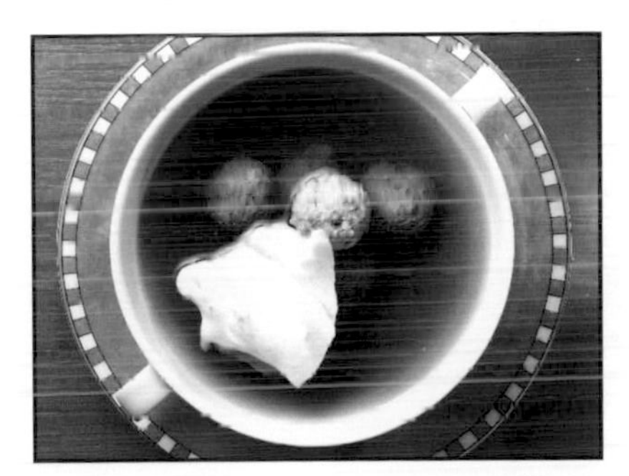

« Bouillon fruité » comme base.

Soupe au gibier mariné

Désosser et couper en morceaux **200 g de gibier à plumes mariné.** Cuire à petit feu, environ 10 minutes, dans **1 l de bouillon fruité.**

(2 051 kj/488 kcal)

Marmite exotique

Laisser gonfler, environ 20 minutes, **250 g de mil** dans **1 l de bouillon fruité.** Faire tiédir dans le bouillon **80 g de dattes** hachées finement. **Saler** et assaisonner de **poivre citronné.**

(2 907 kj/692 kcal)

Soupe au blanc d'œuf

Chauffer **200 g de chair de faisan fumée** dans **1 l de bouillon fruité.** Monter en neige **2 blancs d'œuf** additionnés de **thym.** En garnir la soupe et la passer sous le gril.

(2 091 kj/498 kcal)

Velouté forestier

« Bouillon de gibier à plumes » comme base.

Laver et couper en lanières **400 g de magret de canard sauvage.** Faire mariner dans **500 ml de vin rouge.**

Éplucher et hacher finement **2 gousses d'ail.** Peler et émincer **2 oignons.** Faire revenir tous ces ingrédients dans **3 c.s. de beurre au poivre.**

Mouiller avec **1 l de bouillon de gibier à plumes** et laisser frémir environ 6 minutes.

Laver et faire revenir **300 g de champignons des bois** dans **2 c.s. de beurre aux fines herbes.** Saupoudrer de **2 c.s. de farine.**

Incorporer **quelques brins d'estragon** lavé et effeuillé. Additionner de **6 c.s. de xérès. Saler** et **poivrer.**

Lier avec **50 g de crème fleurette.** Servir le velouté dans des assiettes. (4 015 kj/956 kcal)

Bouillon à l'aigre-doux

« Bouillon de gibier à plumes » comme base.

Laver, essuyer et couper en lanières **500 g de chair de faisan.** Peler et détailler en rondelles **1 botte d'oignons frais.**

Laver et couper en deux **300 g de haricots verts.** Faire revenir tous les ingrédients dans **3 c.s. de beurre.** Ajouter **3 gousses d'ail** épluchées et pressées.

Déglacer avec **200 ml de porto blanc.** Mouiller avec **800 ml de bouillon de gibier à plumes.**

Laver et ciseler **1 bouquet de livèche.** Laver et essuyer **150 g de petits pois frais.**

Incorporer le tout dans le bouillon. **Saler**, **poivrer** et assaisonner de **noix muscade fraîchement râpée.**

Servir le bouillon et ajouter un peu **d'ail en poudre.**
(3 197 kj/761 kcal)

Soupe au chou frisé

« Bouillon de gibier à plumes » comme base.

Peler et émincer **2 oignons.** Laver, essuyer et couper en lanières **400 g de blanc de pintade. Saler** et **poivrer.**

Faire revenir ces ingrédients dans **2 c.s. de beurre à l'ail.** Déglacer avec **1 c.s. de Campari** et **2 c.s. de Cointreau.**

Mouiller avec **1 l de bouillon de gibier à plumes.** Compter environ 6 minutes de cuisson à petit feu.

Ajouter le zeste d'**une moitié d'orange et 50 g de vermicelles.**

Saler, poivrer et assaisonner de **poivre citronné.** Faire chauffer dans le bouillon **200 g de chou vert frisé** (précuit et coupé en lanières).

Servir la soupe parsemée de **mélisse.**
(2 795 kj/665 kcal)

Bouillon des vignes

« Bouillon de gibier à plumes » comme base.

Laver et couper en lanières **200 g de blanc de pintade.** Faire revenir dans **3 c.s. d'huile d'olive. Saler, poivrer** et assaisonner d'**ail en poudre.**

Mouiller avec **500 ml de bouillon de gibier** et **500 ml de vin rouge.** Laisser frémir environ 10 minutes. Ajouter **un peu de zeste de citron.**

Incorporer **100 g de feuilles de vigne** hachées finement. Assaisonner d'une **pincée de piment** et de **cardamone en poudre.**

Servir le bouillon saupoudré de **poivre citronné.**
(2 199 kj/523 kcal)

Bouillon aux olives

« Bouillon des vignes » comme base.

Égoutter **100 g d'olives noires dénoyautées** et les couper en rondelles. Effiler, laver et couper en morceaux **200 g de céleri-branche.**

Faire revenir ces ingrédients dans **2 c.s. d'huile d'olive.** Ajouter **100 g de tomates concassées.** Mouiller avec **1 l de bouillon des vignes.**

Laver, essorer et effeuiller **quelques brins d'origan.** Ajouter le **jus de 2 limettes.**

Servir le bouillon.
(2 772 kj/660 kcal)

Bouillon à l'aubergine

« Bouillon aux olives » comme base.

Nettoyer, laver et couper en dés **150 g d'aubergines.**

Les faire revenir, avec **100 g de courgettes** en brunoise, dans **2 c.s. de beurre aux fines herbes.**

Ajouter **2 gousses d'ail épluchées et pressées.** Mouiller avec **1 l de bouillon aux olives.** Ajouter **du sel marin et du poivre (mélange cinq-baies).**

Servir le bouillon parsemé de **fines herbes.**
(3 150 kj/750 kcal)

Consommé à la grecque

« Bouillon à l'aubergine » comme base.

Peler et couper en deux **200 g d'oi-,gnons grelots.** Les faire revenir dans **2 c.s. de beurre.** Mouiller avec **1 l de bouillon à l'aubergine.** Servir avec **des cerneaux de noix** hachés et grillés.
(4 293 kj/1 022 kcal)

Potage au riz pilaf

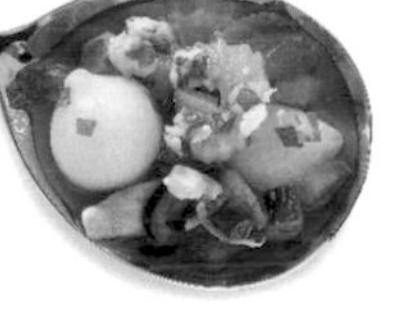

« Consommé à la grecque » comme base.

Cuire **100 g de riz sauvage** dans **1 l de consommé à la grecque.** Ajouter **1 c.s. de pâte au sésame** et **2 c.s. de jus de citron.** Laisser frémir environ 4 minutes. **Saler** et **poivrer.**
(4 823 kj/1 148 kcal)

Potage au tsatsiki

« Potage au riz pilaf » comme base.

Verser dans **1 l de potage au riz pilaf 100 g de tsatsiki** mélangé à **3 c.s. de yaourt.** Servir le potage parsemé de quelques brins de **menthe** lavée, essorée et ciselée.
(5 187 kj/1 235 kcal)

Suggestion

Servir ces soupes avec du pain pita pour insister sur leur origine grecque.

Bouillon à l'avocat

« Bouillon de gibier à plumes » comme base.

Laver, essuyer et couper en morceaux **500 g de chair de caille.** Laver et hacher **2 piments.** Peler et émincer **3 oignons.**

Faire revenir ces ingrédients dans **2 c.s. de beurre au poivre.** Incorporer **4 c.s. de concentré de tomate.**

Saler, poivrer et assaisonner de **paprika**. Mouiller avec 1 **l de bouillon de gibier à plumes**. Laisser frémir environ 5 minutes. Peler **1 avocat,** le couper en deux puis le diviser en quartiers.

Les faire tiédir dans le bouillon et servir.
(3 190 kj/759 kcal)

Bouillon au safran

« Bouillon de gibier à plumes » comme base.

Mélanger **60 g de farine, 150 ml de lait** et **1 œuf.**

Saler, poivrer et ajouter **1 c.c. de zeste de citron**. Incorporer **quelques brins de coriandre** lavée et ciselée.

Frire le tout dans **3 c.s. de beurre.** Rouler les pannequets ainsi obtenus puis les couper en tranches. Les incorporer à **1 l de bouillon de gibier à plumes** bien chaud. Assaisonner de **2 c.c. de filaments de safran.**

Servir le bouillon.
(2 382 kj/567 kcal)

Velouté aux topinambours

« Bouillon de gibier à plumes » comme base.

Laver et couper en lanières **400 g de chair de faisan. Saler** et **poivrer.**

Gratter, laver et couper en rondelles **300 g de carottes.** Éplucher et trancher **200 g de topinambours.**

Chauffer **1 l de bouillon de gibier à plumes.** Incorporer les ingrédients et laisser frémir environ 8 minutes. Retirer la chair de faisan et mixer. **Saler, poivrer** et assaisonner de **clous de girofle** et de **cardamone en poudre.** Remettre la chair de faisan dans le bouillon.

Lier avec **2 c.s. de crème double.** Parsemer de **fines herbes.**
(2 513 kj/598 kcal)

Bouillon poivrons-piments

« Bouillon de gibier à plumes » comme base.

Laver, couper en deux puis en lanières **200 g de poivrons jaunes.** Peler et émincer **2 oignons.** Laver et hacher finement **2 piments doux.**

Laver et couper en dés **200 g de patates douces.** Effiler, laver et couper en deux **250 g de haricots verts.**

Faire revenir les patates dans **3 c.s. d'huile.** Ajouter les légumes de même que **2 gousses d'ail** épluchées et pressées. Mouiller avec **1 l de bouillon de gibier à plumes.**

Saler, poivrer et assaisonner de **noix muscade fraîchement râpée.** Servir le bouillon.
(2 568 kj/611 kcal)

Crème au faisan

« Bouillon de gibier à plumes » comme base.

Laver et couper en lanières **un blanc de faisan.** Le cuire 20 min dans **1 l de bouillon de gibier à plumes.** Ajouter **des grains d'anis.**

Couper en lanières **150 g de lard.** Laver **3 pommes,** les couper en deux puis en quartiers.

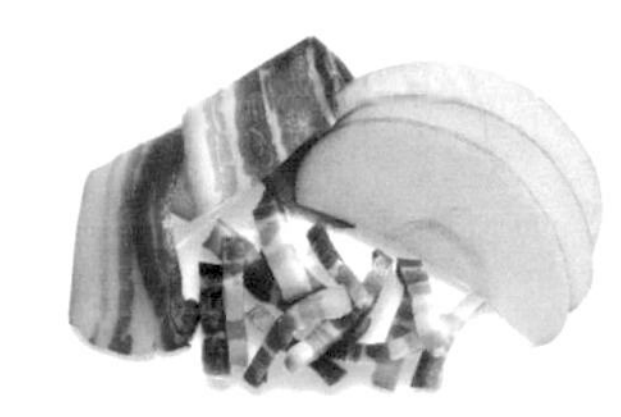

Filtrer le bouillon. Désosser le faisan. Faire rissoler le lard dans une poêle puis ajouter les pommes. **Saler, poivrer** et assaisonner de **piment.** Déglacer avec un peu de bouillon.

Incorporer tous les ingrédients au bouillon. L'additionner de **3 c.s. de cidre et** de **5 c.s. de crème fermentée.** Servir la soupe parsemée de **mélisse.**
(3 819 kj/909 kcal)

Velouté à la yougoslave

« Bouillon de gibier à plumes » comme base.

Éplucher **2 gousses d'ail** et hacher **150 g de noix de macadam grillées.**

Incorporer le tout à **1 l de bouillon de gibier à plumes. Saler, poivrer** et assaisonner de **paprika.**

Faire rissoler **4 cevapcicci** dans **2 c.s. de beurre aux fines herbes** puis les couper en tranches.

Servir le velouté avec les tranches de **cevapcicci.**
(4 641 kj/1 105 kcal)

Recettes et variantes

P. 60 Paprikache
1re variante : remplacer la dinde par de la pintade.
2e variante : assaisonner de piment doux.
3e variante : bouillon de poule et vin rosé à parts égales.
4e variante : bouillon de poule et d'oie à parts égales.

P. 60 Soupe de courgette
1re variante : utiliser des gnocchis.
2e variante : utiliser du saucisson de volaille.
3e variante : gratiner au brie.
4e variante : ajouter des crevettes.
5e variante : ajouter des truffes escalopées.

P. 61 Soupe à la pintade
1re variante : utiliser des figues.
2e variante : remplacer les tomates par des aubergines.
3e variante : ajouter du riz et des feuilles de vigne ciselées.
4e variante : bouillon de poule et de gibier à parts égales.
5e variante : faire revenir dans du beurre au poivre.
6e variante : lier avec de la crème fraîche.

P. 64 Velouté de volaille
1re variante : remplacer le foie par du blanc de poulet.
2e variante : ajouter un peu de cidre.
3e variante : ajouter de la crème fraîche additionnée de moutarde.
4e variante : bouillon de poule et d'oie à parts égales.
5e variante : faire mariner la chair de poulet dans du brandy.

P. 64 Soupe valaisane
1re variante : bouillon de poule et d'oie à parts égales.
2e variante : lier à l'appenzell.
3e variante : ajouter du kirsch.

P. 64 Soupe au maïs
1re variante : remplacer le maïs par un mélange mexicain de légumes surgelés.
2e variante : assaisonner de sauce au chili.
3e variante : accompagner de tortillas.
4e variante : assaisonner de tabasco et de sauce Worcester.
5e variante : utiliser du maïs et des okras.

P. 65 Soupe indonésienne
1re variante : bouillon de poule et d'oie à parts égales.
2e variante : assaisonner de noix de coco râpée.
3e variante : servir des pâtes frites en accompagnement.

P. 65 Soupe aux navets
1re variante : bouillon de poule et de veau à parts égales.
2e variante : utiliser plusieurs variétés de navets.
3e variante : mixer et ajouter de la crème fermentée.

P. 65 Bouillon à l'ananas
1re variante : bouillon de poule et de pigeon à parts égales.
2e variante : remplacer le filet de pintade par de la dinde.
3e variante : servir la soupe avec du blanc d'œuf monté en neige.
4e variante : servir la soupe glacée.
5e variante : incorporer un mélange de fruits exotiques.
6e variante : ajouter du pesto.

P. 68 Soupe au miso
1re variante : remplacer les poireaux par un radis noir.
2e variante : remplacer les poireaux par des radis rouges.
3e variante : assaisonner de pâte wasabi.
4e variante : remplacer l'estragon par de la coriandre.
5e variante : bouillon de canard et de veau à parts égales.
6e variante : bouillon de canard et de gibier à parts égales.

P. 68 Soupe canard et orange
1re variante : bouillon de canard et de veau à parts égales.
2e variante : confiture de gingembre et d'orange à parts égales.
3e variante : remplacer le zeste d'orange par des dés de kumquat.
4e variante : ajouter de la liqueur d'orange.

P. 69 Soupe canard et oignons
1re variante : remplacer les oignons par des échalotes.
2e variante : servir avec des oignons confits.
3e variante : bouillon de canard et de gibier à parts égales.
4e variante : bouillon de canard et de légumes à parts égales.
5e variante : saupoudrer de fromage et faire gratiner.

P. 72 Soupe citronnée
1re variante : hacher le magret additionné de jus de citron.
2e variante : bouillon de canard et de veau à parts égales.
3e variante : servir la soupe froide, avec un zeste de citron.
4e variante : utiliser des lentilles du Puy.

P. 72 Bouillon au saké
1re variante : faire griller des cacahuètes broyées et les ajouter aux oignons.
2e variante : bouillon d'oie (3/4 l) et Vin de riz mirin (1/4 l).
3e variante : saupoudrer de graines de sésame grillées.
4e variante : bouillon de canard et fond asiatique à parts égales.
5e variante : bouillon de canard et fumet de homard à parts égales.
6e variante : ajouter de la chair d'écrevisse.

P. 72 Soupe aux tortellinis
1re variante : employer du chou-fleur.
2e variante : remplacer les oignons par des poivrons.
3e variante : faire dorer les tortellinis dans du beurre au poivre et les ajouter peu avant de servir.
4e variante : bouillon de canard et de gibier à parts égales.
5e variante : remplacer les fèves par des haricots kidney.
6e variante : utiliser des tortellinis farcis à la roquette.

P. 73 Soupe aux endives
1re variante : remplacer les haricots verts par des haricots mungo.
2e variante : bouillon d'oie (3/4 l) et vin de riz mirin (1/4 l).

P. 73 Soupe jardin de lotus
1re variante : bouillon de canard et d'oie à parts égales.
2e variante : ajouter des surimis.
3e variante : garnir de petites boules de melon.

P. 73 Soupe au céleri
1re variante : bouillon de canard et d'oie à parts égales.
2e variante : remplacer les magrets par un autre morceau de canard.
3e variante : bouillon d'oie (3/4 l) et bière (1/4 l).
4e variante : céleri-branche et céleri-rave à parts égales.
5e variante : ajouter des feuilles de céleri-branche frites.

P. 76 Soupe strasbourgeoise
1re variante : bouillon d'oie et gewürztraminer à parts égales.
2e variante : remplacer le pâté par du foie d'oie coupé en morceaux.
3e variante : ajouter des truffes escalopées au moment de servir.
4e variante : bouillon d'oie et de gibier à parts égales.
5e variante : bouillon d'oie et de gibier à plumes à parts égales.
6e variante : gratiner avec un peu d'appenzell.

P. 76 Soupe Martini
1re variante : utiliser des fruits secs (pruneaux et pommes).
2e variante : ajouter au bouillon d'oie un peu de vin rouge et des épices pour vin chaud.
3e variante : compote ou gelée de coings pour remplacer la compote de pomme.
4e variante : remplacer les amandes par des noix de cajou.

P. 77 Bouillon au paprika
1re variante : poivrons rouges et verts à parts égales.
2e variante : bouillon d'oie (3/4 l) et de légumes (1/4 l).

3e variante : ajouter de la sauce pimentée hot salsa.

P. 80 Soupe maraîchère
1re variante : remplacer le magret frais par des magrets fumés.
2e variante : assaisonner le magret d'armoise émiettée.
3e variante : épaissir avec un peu de boulghour.

P. 80 Soupe princesse
1re variante : flageolets et haricots princesse à parts égales.
2e variante : bouillon de légumes (3/4 l) et de veau (1/4 l).
3e variante : ajouter des croûtons.

P. 80 Soupe de Poméranie
1re variante : bouillon d'oie et de bœuf clair à parts égales.
2e variante : aciduler avec un peu de vinaigre de vin rouge.
3e variante : ajouter des pommes de terre rissolées dans du beurre.

P. 81 Soupe oie-lentilles
1re variante : utiliser des lentilles oranges. Inutile de les faire tremper auparavant.
2e variante : utiliser du foie de volaille mariné.
3e variante : lier avec de la crème fermentée.

P. 81 Velouté au foie
1re variante : remplacer le foie d'oie par du foie de dinde ou de poulet.
2e variante : lier avec du pâté de foie d'oie avant de servir.
3e variante : bouillon d'oie et fond asiatique à parts égales.

P. 81 Potage aux magrets
1re variante : remplacer les champignons de Paris par des chanterelles.
2e variante : bouillon d'oie et fumet de champignons à parts égales.
3e variante : remplacer le persil par du basilic.

P. 84 Velouté forestier
1re variante : bouillon de gibier et de gibier à plumes à parts égales.
2e variante : remplacer le xérès par du cognac ou de l'armagnac.
3e variante : ajouter du poivre vert.

P. 84 Bouillon à l'aigre-doux
1ère variante : remplacer les petits pois par des pois gourmands.
2e variante : faire mariner la chair de faisan env. 20 min dans de la sauce teriyaki.
3e variante : bouillon de gibier à plume et fond asiatique à parts égales.

P. 85 Soupe au chou frisé
1re variante : remplacer le chou frisé par du chou pointu.
2e variante : remplacer le chou frisé par du chou blanc.
3e variante : remplacer le chou frisé par du pé-tsaï.

P. 88 Bouillon à l'avocat
1re variante : ajouter de l'orge perlé ou du sagou.
2e variante : bouillon de veau et de gibier à plumes à parts égales.
3e variante : aromatiser avec de la liqueur d'anis.

P. 88 Bouillon au safran
1re variante : assaisonner de safran, de piment et de clous de girofle en poudre.
2e variante : bouillon de gibier à plume et fond asiatique à parts égales.
3e variante : remplacer le safran par du curcuma.
4e variante : bouillon de pigeon et de gibier à plumes à parts égales.

P. 88 Velouté aux topinambours
1re variante : bouillon de légumes et de gibier à plumes à parts égales.
2e variante : corser avec un peu de pâte au curry.
3e variante : parsemer de cresson.

P. 88 Bouillon poivrons-piments
1re variante : bouillon d'agneau et fond asiatique à parts égales.
2e variante : bouillon d'agneau et de légumes à parts égales.
3e variante : utiliser du riz complet.
4e variante : ajouter un bouquet garni durant la cuisson.

P. 89 Crème au faisan
1re variante : remplacer les pommes par des salsifis.
2e variante : remplacer les pommes par des cardons.
3e variante : remplacer les pommes par des bettes.

Soupes aux fruits de mer

Les soupes de poisson, celles aux fruits de mer et aux crustacés sont délicieuses et éveillent immanquablement des souvenirs de voyages et de vacances.

Fumet de poisson

Laver et couper en morceaux **1 garniture aromatique.** Laver et essuyer **500 g de parure** et **500 g de filet de poisson**. Laver et couper en tranches **un bulbe de fenouil**. Faire revenir tous les ingrédients dans **4 c.s. d'huile d'olive. Saler, poivrer** et ajouter **1 feuille de laurier, quelques baies de genièvre, un peu de thym** et **de basilic** lavés et effeuillés. Mouiller avec **500 ml de vin blanc** et **1 l d'eau**. Incorporer les fines herbes à la préparation et laisser frémir environ 40 minutes puis filtrer le fumet en le passant à l'étamine. Dresser les filets sur des assiettes et servir.

(2 327 kj/554 kcal).

Fumet au vin rouge

Faire caraméliser **1 c.s. de sucre brun** dans **2 c.s. de beurre.** Incorporer **2 c.s. de farine** et déglacer avec **5 c.s. de vin rouge.** Mouiller avec **1 l de fumet de poisson. Saler** et **poivrer.** Servir la soupe dans des assiettes préchauffées.

(2 017 kj/480 kcal)

Fumet au poivron

Laver, couper en deux puis en lanières **3 poivrons de différentes couleurs.** Les faire revenir dans **3 c.s. de beurre clarifié**. Ajouter **3 c.s. de crème fermentée** et **4 c.s. de purée de poivron**. Mouiller avec **1 l de fumet de poisson.**

(2 321 kj/552 kcal)

Fumet goût écrevisse

Faire fondre **80 g de beurre d'écrevisse** dans **1 l de fumet de poisson.** Compter env. 10 min de cuisson à petit feu. Ajouter **3 c.s. de vin blanc. Saler, poivrer** et assaisonner de **paprika.** Servir la soupe dans des assiettes chaudes.

(1 670 kj/397 kcal)

« Fumet au vin rouge » comme base.

Soupe à la rogue

Laver **100 g d'œufs de carpe et de tanche** à parts égales. Les faire tiédir environ 5 minutes dans **1 l de fumet au vin rouge.** Ajouter **quelques brins** d'**estragon** lavé et effeuillé.
(2 160 kj/514 kcal)

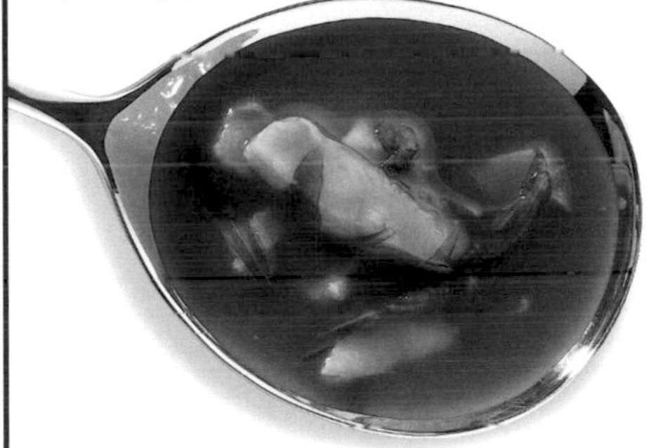

Soupe au lavaret

Couper en dés **200 g de filet de lavaret**. Faire revenir avec **100 g de champignons de Paris bistres.** Mouiller avec **1 l de fumet au vin rouge.** Laisser frémir environ 5 minutes et servir.
(2 276 kj/542 kcal)

Soupe à la carpe

Couper en dés et citronner **200 g de filet de carpe**. Hacher **un petit morceau de gingembre** et le faire revenir, avec le poisson, dans du **beurre aux fines herbes** bien chaud. Mouiller avec **1 l de fumet au vin rouge** et laisser frémir.
(2 512 kj/598 kcal)

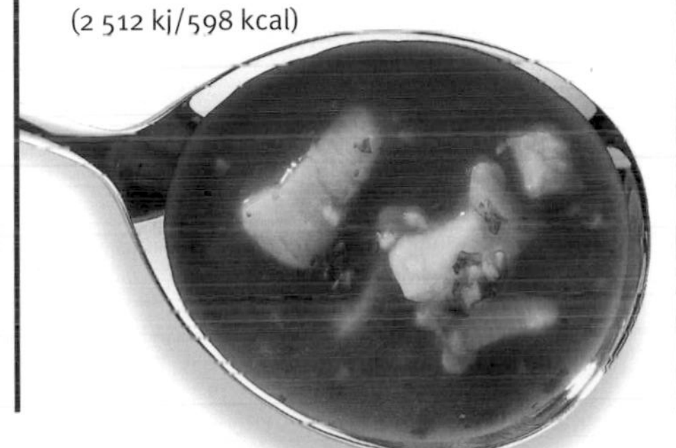

« Fumet au poivron » comme base.

Soupe au sandre

Couper en dés **250 g de filet de sandre** et verser dessus un peu de **jus de limette.** Le faire cuire, environ 6 minutes, dans **1 l de fumet au poivron. Saler** et **poivrer** puis servir.
(2 568 kj/611 kcal)

Soupe à l'églefin

Verser **2 cl de kirsch** sur **200 g de filet d'églefin** et laisser macérer environ 5 minutes. Puis, faire cuire à petit feu dans **1 l de fumet au poivron. Saler, poivrer** et assaisonner de **paprika.**
(2 564 kj/610 kcal)

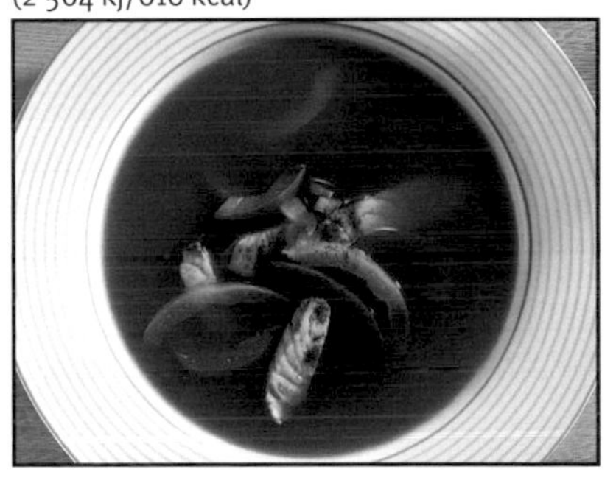

Soupe à la perche

Couper en dés et citronner **250 g de filet de perche.** Couper en morceaux **100 g de cornichons doux** et les faire revenir avec le poisson. Mouiller avec **1 l de fumet au vin rouge** et laisser frémir.
(2 570 kj/612 kcal)

« Fumet goût écrevisse » comme base.

Crème d'esturgeon

Couper en morceaux **250 g d'esturgeon fumé.** Le faire chauffer environ 5 minutes, avec **150 g de betteraves rouges** (en bocal), dans **1 l de fumet goût écrevisse.** Garnir d'**œufs de truite.**
(2 122 kj/505 kcal)

Velouté à l'omble

Réunir **300 g de filet d'omble** coupé en lanières, **4 c.s. de raifort à la crème, 4 c.s. de crème fraîche, 1 c.s. de moutarde au miel** et bien mélanger. Incorporer à **1 l de fumet goût écrevisse** et laisser frémir environ 6 minutes. (2 419 kJ/576 kcal)

Soupe au poisson chat

Laver, couper en morceaux et citronner **400 g de filet de poisson chat.** Le faire cuire dans **1 l de fumet goût écrevisse** additionné de **200 g de noix de pecan** hachées et grillées.
(3 603 kj/858 kcal)

Soupe à l'alose

« Fumet de poisson » comme base.

Laver, essuyer et couper en morceaux **1 kg de filet d'alose. Saler, poivrer** et **citronner.** Attendre que le poisson s'imprègne de ces ingrédients.

Peler et émincer **3 échalotes.** Ajouter **2 gousses d'ail** épluchées et pressées. Faire revenir ail et échalotes dans **3 c.s. de beurre**. Ajouter **10 filaments de safran.**

Mouiller avec **1 l de fumet de poisson** et incorporer les morceaux d'alose. Laisser frémir 5 minutes.

Laver et couper en tronçons **200 g de céleri-branche.** Nettoyer et couper en deux **200 g de tomates cerises.**

Incorporer ces ingrédients à la préparation. **Saler, poivrer** et ajouter **2 cl de vermouth sec.** Laver et équeuter **un demi-bouquet de persil.**

Servir la soupe dans des assiettes. Parsemer de **persil.**

(2 446 kj/582 kcal)

Velouté aux asperges

« Fumet de poisson » comme base.

Citronner **500 g de filet de tanche** puis mixer. Lier avec **1 œuf** et **2 c.s. de crème fraîche.**

Saler, poivrer et assaisonner de **piment en poudre**. Façonner des boulettes.

Les faire cuire environ 8 minutes dans **1 l de fumet de poisson.**

Égoutter **250 g pointes d'asperges** (en bocal) et les incorporer à la préparation, de même que **4 c.s. d'œufs de truite.**

Laver, effeuiller et ajouter **quelques brins de coriandre. Saler** et assaisonner de **poivre citronné.**

Servir le velouté dans des assiettes.
(2 503 kj/596 kcal)

Velouté à l'anguille

« Fumet de poisson » comme base.

Peler et émincer **2 oignons.** Éplucher et hacher finement **2 gousses d'ail.** Parer, laver et essuyer **250 g de choux de Bruxelles.**

Laver et couper en morceaux **600 g d'anguille prête à l'emploi.** Faire revenir tous les ingrédients dans **3 c.s. de beurre. Saler** et **poivrer.**

Mouiller avec **1 l de fumet de poisson.** Compter environ 8 minutes de cuisson à petit feu.

Nettoyer, laver, couper en deux puis en lanières **200 g de poivrons rouges** puis les ajouter à la préparation.

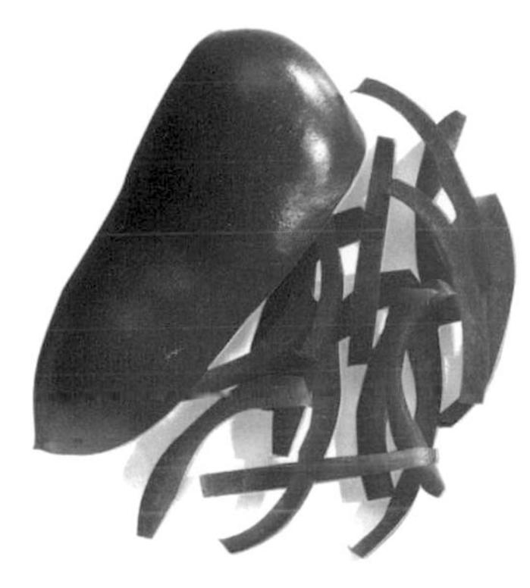

Incorporer **2 c.s. de câpres** égouttés et **100 g de crème fraîche.**

Servir le velouté dans des assiettes.
(3 245 kj/772 kcal)

Fumet au bourgogne

« Fumet de poisson » comme base.

Peler et émincer **150 g d'oignons rouges.** Éplucher et hacher finement **2 gousses d'ail.**

Faire revenir ail et oignons dans **3 c.s. d'huile.**

Mouiller avec **500 ml de bourgogne** et **500 ml de fumet de poisson.** Laisser frémir environ 5 minutes.

Garnir le fumet d'**une cuillerée de crème Chantilly.**
(1 772 kj/410 kcal)

Potage à l'oignon

« Fumet au bourgogne » comme base.

Faire fondre **3 c.s. de beurre**, ajouter **2 c.s. de paprika** et **2 c.s. de beurre d'écrevisse.**

Mouiller avec **1 l de fumet au bourgogne** et laisser frémir environ 5 minutes. Incorporer **un demi-bouquet de persil** lavé et finement haché.

Saler, poivrer et assaisonner de **piment en poudre.**

Servir le potage.
(2 409 kj/573 kcal)

Potage pommes de terre

« Potage à l'oignon » comme base.

Laver, éplucher et couper en bâtonnets **500 g de pommes de terre.** Gratter et couper en bâtonnets **3 grosses carottes.**

Faire revenir dans **3 c.s. de beurre aux fines herbes. Saler** et **poivrer.**

Mouiller avec **1 l de fumet de potage à l'oignon**. Laisser frémir environ 5 minutes. Ajouter **3 c.s. de vin blanc.**

Servir le potage parsemé de **fines herbes.**
(3 433 kJ/817 kcal)

Soupe poisson-céleri

« Potage aux pommes de terre » comme base.

Laver et couper en morceaux **300 g de céleri-rave.** Le faire cuire dans **1 l de potage aux pommes de terre.** Incorporer **2 c.s. de moutarde.** Garnir **de 100 g de noix grillées.**

(4 162 kj/991 kcal)

Soupe poisson-basilic

« Soupe poisson-céleri » comme base.

Tremper puis couper en morceaux **100 g de fruits** (mélange pâtissier). Les incorporer, avec **un demi-bouquet de basilic** ciselé, à **1 l de soupe poisson-céleri.**

(4 248 kj/1 011 kcal)

Soupe hambourgeoise

« Soupe poisson-basilic » comme base.

Couper en morceaux **200 g d'anguille sans peau** et la faire cuire env. 8 min dans **1 l de soupe poisson-basilic**. Ajouter **100 g de petits pois. Saler** et **poivrer.**

(4 497 kj/1 070 kcal)

Suggestion

Ajouter un peu de fromage et faire gratiner. Ces soupes n'en seront que plus savoureuses.

Soupe lavaret-roquette

« Fumet de poisson » comme base.

Peler et émincer **3 échalotes.** Laver, essuyer et citronner **500 g de filet de lavaret.**

Laver, essorer et couper en lanières **100 g de roquette** ainsi que **100 g de chicorée rouge de Vérone.**

Dans **2 c.s. de beurre** fondu, faire rissoler **100 g de lard coupé en lanières.** Ajouter les autres ingrédients et les faire revenir. Mouiller avec **1 l de fumet de poisson** et laisser frémir environ 6 minutes.

Saler et forcer sur le **poivre** puis servir.
(3 412 kj/812 kcal)

Velouté hongrois

« Fumet de poisson » comme base.

Laver, essuyer, couper en dés et citronner **200 g d'anguille, 250 g de filet de sandre** et **250 g de filet de perche.**

Peler et couper en rondelles **300 g d'oignons.** Laver, couper en deux puis en lanières **300 g de poivrons rouges.**

Faire revenir tous ces ingrédients dans **3 c.s. de beurre aux fines herbes**. Ajouter **2 gousses d'ail** épluchées et pressées. Mouiller avec **1 l de fumet de poisson** et laisser frémir environ 6 minutes.

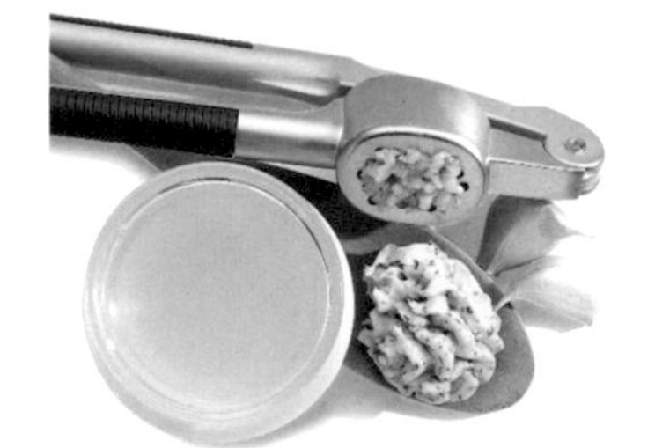

Saler, poivrer et assaisonner de **paprika**. Lier avec **100 g de crème fleurette** et servir.
(3 153 kj/750 kcal)

Soupe au brochet

« Fumet de poisson » comme base.

Peler et émincer **2 oignons.** Éplucher et hacher finement **2 gousses d'ail.** Égoutter et couper en rondelles **3 c.s. d'olives noires.**

Laver, essuyer, couper en dés et citronner **600 g de filet de brochet.** Faire revenir tous les ingrédients dans **3 c.s. de beurre clarifié.**

Saler, poivrer, assaisonner de **paprika** et de **poivre citronné**. Ajouter **quelques brins de basilic** lavé, essoré et ciselé. Mouiller avec **1 l de fumet de poisson** et laisser frémir environ 8 minutes.

Incorporer **50 g de fromage fondu** et servir la soupe.
(3 099 kj/738 kcal)

Potage à la truite

« Fumet de poisson » comme base.

Laver, essuyer et couper en morceaux **600 g de filet de truite.** Asperger d'**eau-de-vie de gentiane.** Ajouter **sel** et **poivre citronné.**

Peler et couper en rondelles **4 oignons rouges.** Laver et couper en morceaux **200 g de champignons.**

Faire revenir tous ces ingrédients dans **3 c.s. d'huile d'olive. Saler, poivrer** et assaisonner de **piment en poudre**. Ajouter **2 gousses d'ail épluchées et pressées.** Mouiller avec **1 l de fumet de poisson** et laisser frémir 6 minutes.

Servir le potage.
(2 977 kj/709 kcal)

Soupe canadienne

« Fumet de poisson » comme base.

Cuire **60 g de riz sauvage** en se conformant aux indications sur le paquet. Laver, essuyer et couper en morceaux **600 g de filet de saumon.**

Verser dessus le **jus d'une limette.** Laver, essorer et effeuiller **1 bouquet d'estragon.** Faire revenir tous les ingrédients dans **3 c.s. de beurre clarifié.**

Mouiller avec **1 l de fumet de poisson.** Laisser frémir environ 6 minutes. **Saler, poivrer** et assaisonner de **paprika.** Égoutter le riz et l'incorporer à la soupe.

Servir la soupe saupoudrée de **poivre citronné.**
(3 743 kj/891 kcal)

Soupe sandre-épinards

« Fumet de poisson » comme base.

Laver, essuyer, couper en dés et citronner **600 g de filet de sandre.** Laver, essorer et couper en lanières **200 g d'épinards en branches.**

Faire revenir ces ingrédients dans **3 c.s. de beurre aux fines herbes. Saler, poivrer** et assaisonner **de piment en poudre**. Ajouter **3 gousses d'ail épluchées et pressées.**

Mouiller avec **1 l de fumet de poisson** et laisser frémir environ 6 minutes. Ajouter **50 ml de mousseux.** Laver un **peu de cresson** en couche.

Servir la soupe parsemée de cresson.
(2 712 kj/645 kcal)

Fumet poisson et coquillages

Laver **8 coquilles Saint-Jacques, 500 g de coques** et **500 g de parures de poisson**. Faire revenir, avec **150 g d'oignons émincés**, dans du **beurre aux fines herbes bien chaud**. Ajouter **3 gousses d'ail** épluchées et pressées ainsi qu'**un piment rouge** finement haché. **Saler, poivrer** et assaisonner d'un peu de **piment en poudre**. Mouiller avec **500 ml de vin blanc** et **1 l d'eau**. Laisser frémir environ 20 minutes. Incorporer **300 g de tomates en quartiers** et compter 10 minutes de cuisson supplémentaires puis filtrer le fumet en le passant à l'étamine. Servir les coquillages à part, avec des rondelles de baguette tartinées de **beurre à l'ail.**

(1 989 kj/473 kcal).

Fumet au curry

Faire revenir **3 c.s. de curry** dans **2 c.s. de beurre clarifié** jusqu'à dissolution de l'épice. Mouiller avec **1 l de fumet poisson et coquillages** et laisser frémir environ 8 minutes. Servir le fumet dans des assiettes préchauffées.

(1 707 kj/406 kcal)

Fumet à l'aïoli

Éplucher **5 gousses d'ail**, les écraser avec un peu de **sel marin** et les faire revenir dans **3 c.s. d'huile d'olive.** Mouiller avec **1 l de fumet poisson et coquillages** et compter environ 8 minutes de cuisson à petit feu.

(1 939 kj/461 kcal)

Fumet au dashi

Tremper **1 petit morceau de kombu dans 1 l d'eau.** Faire bouillir puis retirer la plante marine et ajouter **50 g de bonite** et **5 c.s. de dashi en poudre** (en vente dans les épiceries asiatiques). Laisser frémir environ 10 minutes.

(1 468 kj/349 kcal)

« Fumet au curry » comme base.

Nage de Saint-Jacques

Faire tiédir, environ 6 minutes, **500 g de Saint-Jacques surgelées** dans **1 l de fumet au curry. Saler, poivrer** et assaisonner d'un peu de **gingembre en poudre.**

(2 151 kj/512 kcal)

Curry-congee

Cuire **100 g de riz sauvage,** environ 12 minutes, dans **1 l de fumet au curry. Saler, poivrer e**t assaisonner de **paprika.**

(2 364 kj/563 kcal)

Nage de congre

Laver, couper en dés et citronner **500 g de congre.** Le faire cuire à petit feu, environ 6 minutes, dans **1 l de fumet au curry.**

(2 156 kj/513 kcal)

« Fumet à l'aïoli » comme base.

Nage de sardines

Laver, essuyer et couper en morceaux **500 g de sardines.** Les faire cuire à petit feu, env. 6 min, dans **1 l de fumet à l'aïoli** additionné de **thym** et d'**origan.**

(2 749 kj/654 kcal)

Nage de daurade

Égoutter et couper en rondelles **150 g d'olives vertes.** Laver et citronner **400 g de filet de daurade.** Faire cuire env. 6. min, à petit feu, dans **1 l de fumet à l'aïoli.**

(2 523 kj/600 kcal)

Nage de maquereau

Faire cuire **200 g de petits pois congelés** dans **1 l de fumet à l'aïoli.** Ajouter **250 g de filet de maquereau fumé, coupé en morceaux.** Laisser frémir environ 5 minutes.

(2 888 kj/687 kcal)

« Fumet au dashi » comme base.

Soupe au mirin

Laisser frémir environ 10 minutes **1 l de fumet au dashi** additionné de **4 c.s. de sauce soja,** de **2 c.c. de mirin,** de **1 c.s. de pâte miso et de 1 c.c. de dashi en poudre.**

(1 773 kj/422 kcal)

Nage de sole

Cuire à petit feu, env. 6 min, **300 g de filet de sole** coupé en morceaux et **250 g de cheveux d'ange** dans **1 l de fumet au dashi.** Ajouter **3 c.s. de sauce soja** et servir.

(3 250 kj/774 kcal)

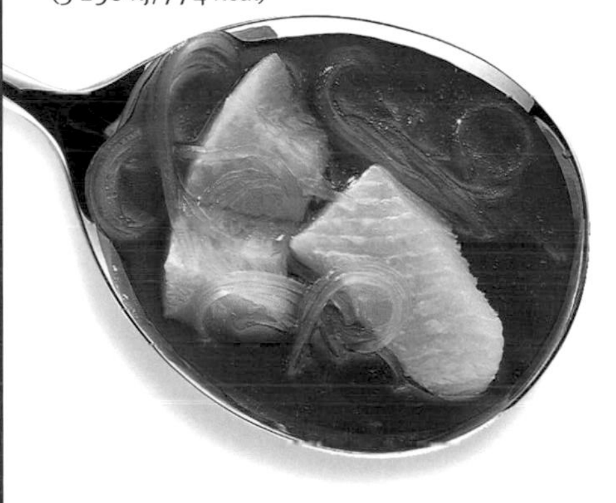

Nage de saumon

Dans **1 l de fumet au dashi,** cuire à petit feu, env. 6 min, **200 g de filet de saumon** coupé en morceaux. Ajouter **un peu de gingembre râpé et 100 ml de crème à la noix de coco.** (1 982 kj/472 kcal)

Moules à la nage

« Fumet poisson et coquillages » comme base.

Gratter, laver et ébarber **1 kg de moules.** Éliminer celles qui sont ouvertes. Faire cuire les autres environ 10 minutes dans **1,5 l de fumet poisson et coquillages.** Retirer du faitout celles qui ne se sont pas ouvertes à la chaleur.

Laver et couper en quartiers **150 g de tomates.** Les faire revenir, de même que **150 g de petits pois,** dans **2 c.s. de beurre au poivre.** Retirer les moules de leur coquille.

Verser le fumet sur les légumes et laisser frémir environ 5 minutes.

Faire griller **4 rondelles de baguette.** Répartir dessus **150 g de fromage râpé** et faire gratiner.

Saler, poivrer et assaisonner le fumet de **paprika.** Ajouter **1 demi-bouquet d'aneth** lavé, essoré et ciselé.

Servir la préparation dans des assiettes.

(3 142 kJ/748 kcal)

Potage à l'orientale

« Fumet poisson et coquillages » comme base.

Peler et couper en rondelles **2 gros oignons.** Nettoyer, laver et couper en tronçons **100 g de céleri-branche.**

Éplucher et presser **2 gousses d'ail.** Faire revenir le tout dans **2 c.s. d'huile à l'ail.** Ajouter **280 g de tomates en boîte** et **100 g de semoule pour couscous.**

Mouiller avec **1 l de fumet poisson et coquillages** et laisser frémir environ 10 minutes.

Laver, sécher, citronner et couper en morceaux **200 g de filet de grondin** et **200 g de filet de perche de mer.**

Cuire le poisson à petit feu, environ 6 minutes, dans **1 l de fumet poisson et coquillages** additionné de **1 c.s. de vinaigre balsamique. Saler, poivrer** et assaisonner de **paprika.**

Servir le potage dans des assiettes. Parsemer de **coriandre.**
(2 620 kj/624 kcal)

Potage au fenouil

« Fumet poisson et coquillages » comme base.

Parer, laver et couper en morceaux **750 g de bulbe de fenouil.** Peler et émincer **1 oignon.** Éplucher et couper en rondelles **3 carottes.**

Faire revenir le tout dans **2 c.s. de beurre.** Ajouter **2 gousses d'ail** épluchées et pressées ainsi qu'**un petit morceau de gingembre** râpé **Saler** et **poivrer.**

Mouiller avec **1 l de fumet poisson et coquillages** et laisser frémir environ 6 minutes.

Laver, sécher, citronner et couper en morceaux **600 g de filet d'espadon.** L'ajouter à la préparation.

Laver, essorer et équeuter **1 demi-bouquet d'aneth.** L'incorporer de même que **3 c.s. de xérès.**

Servir le potage dans des assiettes.
(2 726 kJ/649 kcal)

Soupe à la lotte

« Fumet poisson et coquillages » comme base.

Laver, sécher et couper en morceaux **800 g de filet de lotte.** Les humecter **de jus de limette.**

Laver et couper en rondelles **300 g de poireaux.** Peler et émincer **3 oignons.** Laver et couper en quartiers **3 tomates**. Éplucher et hacher finement **3 gousses d'ail.**

Faire revenir tous les ingrédients dans **2 c.s. de beurre. Saler** et **poivrer.** Mouiller avec **1 l de fumet poisson et coquillages.**

Laisser frémir environ 6 minutes.
(2 565 kj/610 kcal)

Soupe aux moules

« Soupe à la lotte » comme base.

Égoutter **150 g de moules en bocal** et les faire macérer dans **50 ml de kirsch.**

Les égoutter à nouveau et les faire cuire à petit feu, environ 5 minutes, dans **1 l de soupe à la lotte. Saler, poivrer** et assaisonner de **paprika.**

Additionner la préparation d'**une giclée de Sauce Worcester** et de **3 c.s. de vin blanc.**

Servir la soupe parsemée de **fines herbes.**
(2 860 kj/681 kcal)

Assiette du pirate

« Soupe aux moules » comme base.

Éplucher et couper en dés **500 g de pommes de terre.** Effiler et couper en morceaux **200 g de haricots verts.**

Faire revenir le tout dans **2 c.s. de beurre au poivre.** Mouiller avec **1 l de soupe aux moules.**

Incorporer le contenu d'une **petite boîte de safran. Saler** et **poivrer.** Ajouter **4 c.s. d'oignons frits.**

Servir la soupe.
(3 854 kj/917 kcal)

Soupe aux fruits de mer

« Assiette du pirate » comme base.

Ajouter **100 g de crevettes cuites** et **100 g d'encornets cuits** à **1 l de soupe de base.** Laisser frémir environ 5 minutes. **Saler, poivrer** et assaisonner de **piment en poudre.**
(4 054 kj/965 kcal)

Assiette du pêcheur

« Soupe aux fruits de mer » comme base.

Nettoyer et couper en dés **150 g de petites courgettes.** Faire revenir **200 g de poivrons** coupés en lanières dans **2 c.s. de beurre à l'ail.** Ajouter les courgettes. Mouiller avec **1 l de soupe de base.**
(4 452 kj/1 060 kcal)

Bouillabaisse

« Assiette du pêcheur » comme base.

Laver et couper en quartiers **500 g de tomates.** Les faire cuire environ 5 minutes dans **1 l de soupe de base** additionné du **zeste d'une moitié d'orange.**
(4 614 kj/1 098 kcal)

Suggestion

Servir ces soupes avec des croûtons aillés.

Nage de flétan

« Fumet poisson et coquillages » comme base.

Tremper dans un peu d'eau **1 c.s. de shiitake secs.** Égoutter **500 g de pois chiches en boîte.**

Essuyer les champignons. Les faire revenir, de même que les pois chiches, dans **3 c.s. d'huile d'olive.** Ajouter quelques brins de **basilic** lavé, essoré et ciselé.

Mouiller avec **1 l de fumet poisson et coquillages.** Ajouter **250 g de filet de flétan fumé** après l'avoir lavé, essuyé et coupé en morceaux.

Laisser frémir environ 5 minutes. **Saler, poivrer** et assaisonner de **paprika.** Lier avec **100 g de crème fraîche** et servir.
(3 343 kj/796 kcal)

Nage de merluche

« Fumet poisson et coquillages » comme base.

Laver, sécher et couper en morceaux **500 g de filet de merluche.** Les humecter de **jus de limette.**

Couper en lanières **100 g de lard.** Éplucher et couper en dés **200 g de pommes de terre.** Faire rissoler le lard dans **2 c.s. de beurre.** Ajouter les pommes de terre. **Saler** et **poivrer.**

Mouiller avec **1 l de fumet poisson et coquillages.** Laisser frémir environ 4 minutes. Laver, essorer et ciseler **1 bouquet de persil.**

Incorporer à la préparation le poisson, le persil et **400 g de légumes surgelés.** Compter environ 5 minutes de cuisson et servir.
(3 266 kj/777 kcal)

Soupe hollandaise

« Fumet poisson et coquillages » comme base.

Gratter, laver et ébarber **2 kg de moules.** Éliminer celles qui sont ouvertes. Peler et émincer **3 oignons.**

Éplucher et presser **3 gousses d'ail.** Gratter, laver et couper en rondelles **250 g de carottes.** Faire chauffer **500 ml de fumet de poisson et coquillages** avec **600 ml de vin blanc.** Incorporer les ingrédients et ajouter **50 ml de genièvre.**

Nettoyer, laver et couper en morceaux **250 g de pleurotes.** Parer, laver et émincer **1 botte d'oignons frais** (éliminer les tiges). Les faire revenir, avec les champignons, dans **2 c.s. de beurre.** Saupoudrer de **farine (3 c.s.).** Lier avec **100 g de crème fleurette.**

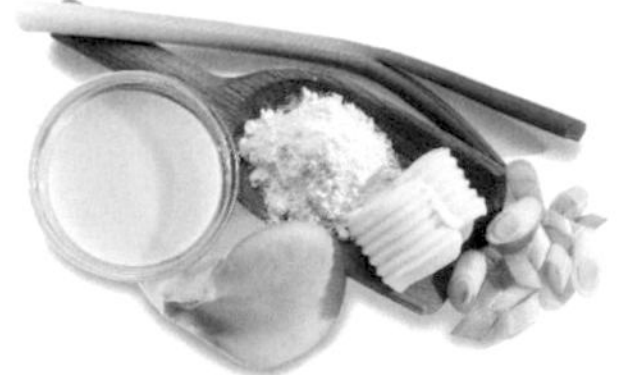

Éliminer les moules qui ne se sont pas ouvertes. Ajouter le mélange oignons-champignons et servir.
(2 985 kj/710 kcal)

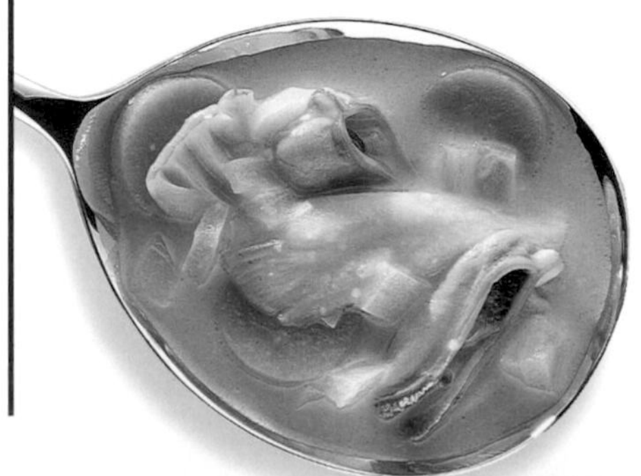

Nage de thon

« Fumet poisson et coquillages » comme base.

Laver, sécher, couper en lanières et **citronner 500 g de filet de thon.**

Peler et émincer **5 oignons frais.** Les faire suer dans **2 c.s. de beurre.** Ajouter **2 gousses d'ail** épluchées et pressées de même que les lanières de thon.

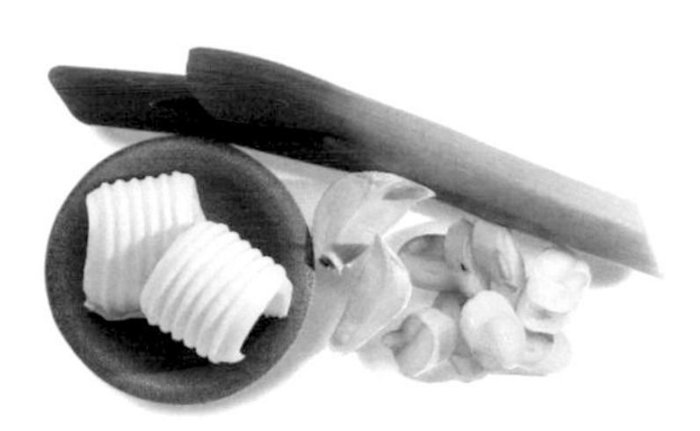

Mouiller avec **1 l de fumet de poisson et coquillages** et laisser frémir environ 6 minutes. Ajouter **2 c.s. de vinaigre** et **2 c.s. de sucre**. Égoutter **200 g de cœurs de palmier en boîte** et les faire tiédir avec la préparation.

Puis servir.
(3 042 kj/724 kcal)

Crème de turbot

« Fumet poisson et coquillages » comme base.

Laver, sécher, couper en lanières et **citronner 600 g de filet de turbot.**

Le faire revenir dans **3 c.s. de beurre au poivre.** Mouiller avec **500 ml de vin blanc** et **500 ml de fumet de poisson et coquillages.**

Saler, poivrer et assaisonner de **piment en poudre**. Faire glisser lentement dans la soupe un **jaune d'œuf** battu et additionné de **3 c.s. de crème fermentée** ainsi que de **2 c.s. de câpres.**

Servir la crème parsemée de **fines herbes.**
(2 537 kj/604 kcal)

Nage de cabillaud

« Fumet poisson et coquillages » comme base.

Laver, sécher et couper en morceaux **600 g de filet de sabre, de cabillaud et de sabre argenté.** Les arroser de **jus de limette.**

Peler et couper en rondelles **3 échalotes.** Égoutter **200 g de maïs et 200 g de tomates en boîte.**

Faire revenir tous ces ingrédients dans **3 c.s. de beurre au poivre. Saler, poivrer** et assaisonner de **paprika.** Mouiller **avec 1 l de fumet de poisson et coquillages.** Ajouter et faire cuire **100 g de vermicelles.**

Servir la préparation parsemée d'**aneth.**
(3 624 kj/863 kcal)

Fumet de homard

Laver et essuyer **3 carcasses de homard** et **10 gambas.** Gratter et couper en rondelles **2 carottes.** Nettoyer, laver et couper en morceaux **200 g de chou-rave, 300 g de poivrons rouges** et **3 branches de céleri.** Faire revenir dans **3 c.s. de beurre au poivre** puis mouiller avec **500 ml de vin blanc** et **1,5 l d'eau. Saler** et **poivrer.** Ajouter du **poivre de la Jamaïque.** Incorporer **un peu de cumin** et **2 c.s. de concentré de tomate.** Laisser frémir environ 30 minutes. Filtrer le fumet en le passant à l'étamine. Servir les gambas à part.

(2 020 kj/481 kcal).

Fumet à l'aneth

Laver, essorer et équeuter **1 bouquet d'aneth.** Couper en morceaux **200 g de chair de homard.** La faire cuire environ 6 minutes, avec l'aneth, dans **1 l de fumet de homard.** Servir le fumet parsemé de **fines herbes.**

(1 294 kj/308 kcal)

Bouillon de homard

Additionner **100 g de beurre** de **4 c.s. de** vermouth. Remuer jusqu'à obtention d'un mélange mousseux. Incorporer **1 c.s. de câpres.** Délayer le tout dans **1 l de fumet de homard. Saler** et **poivrer.**

(2 113 kj/503 kcal)

Fumet miel-moutarde

Mélanger **3 c.s. de miel** et **3 c.s. de moutarde en grains.** Incorporer **250 g de crème au yaourt** et **1 c.s. de sauce à l'asiatique.** Délayer dans **1 l de fumet de homard** additionné d'un peu de **saké. Saler** et **poivrer.**

(1 738 kj/414 kcal)

« Fumet à l'aneth » comme base.

« Bouillon de homard » comme base.

« Fumet miel-moutarde » comme base.

Velouté au homard

Gratter et couper en rondelles **300 g de carottes.** Les cuire dans **1 l de fumet à l'aneth.** Mixer puis ajouter **3 piments doux verts**, après les avoir lavés et finement hachés.
(1 579 kj/376 kcal)

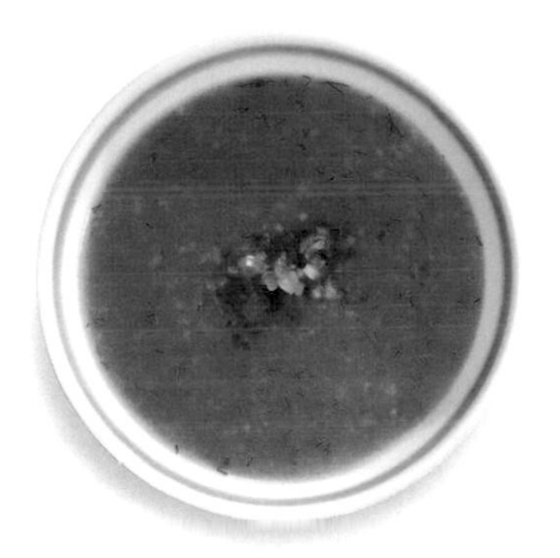

Chauffer **200 g de chair de crabe** dans **1 l de bouillon de homard** additionné de **2 c.s. de purée de poivron, 3 c.s. de concentré de tomate** et **1 c.c. de sambal oelek.**
(2 726 kj/649 kcal)

Soupe moutarde-maïs

Façonner des boulettes avec **2 c.s. de farine de maïs, 200 g de crevettes cuites et décortiquées, 1 blanc d'œuf** et un peu **de saké.** Les cuire 5 min dans **1 l de fumet.**
(2 056 kj/489 kcal)

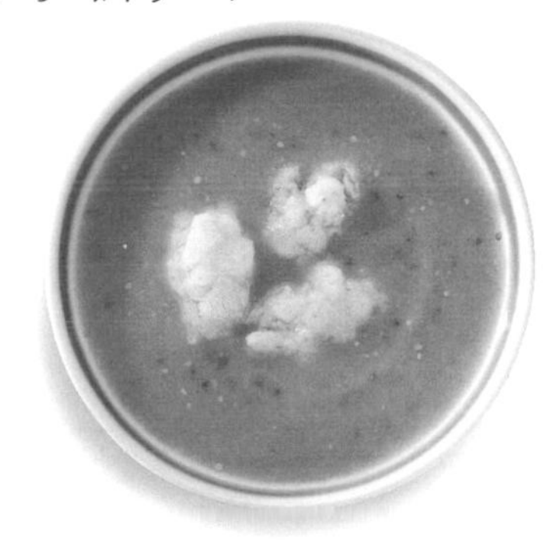

Consommé au concombre

Laver, hacher finement et saler **une moitié de concombre** pour le faire dégorger. Le cuire environ 6 minutes dans **1 l de fumet à l'aneth. Saler** et **poivrer.**
(1 319 kj/314 kcal)

Bouillon en croûte

Chauffer **250 g de chair de homard** dans **1 l de bouillon de homard.** Servir dans des bols. Poser sur chacun d'eux **un disque de pâte feuilletée** et faire dorer au four.
(2 828 kj/673 kcal)

Soupe à l'aubergine

Couper en dés **200 g d'aubergines.** Verser dessus **4 c.s. de sauce soja** et **2 c.s. de saké.** Les incorporer avec **100 g de riz cuit** à **1 l de fumet miel-moutarde.**
(1 968 kj/468 kcal)

Nage de fruits de mer

Faire revenir dans **2 c.s. d'huile d'olive 200 g de fruits de mer marinés. Saler, poivrer** et mouiller avec **1 l de fumet à l'aneth.** Battre **1 œuf** et le faire glisser dans le potage.
(2 065 kj/491 kcal)

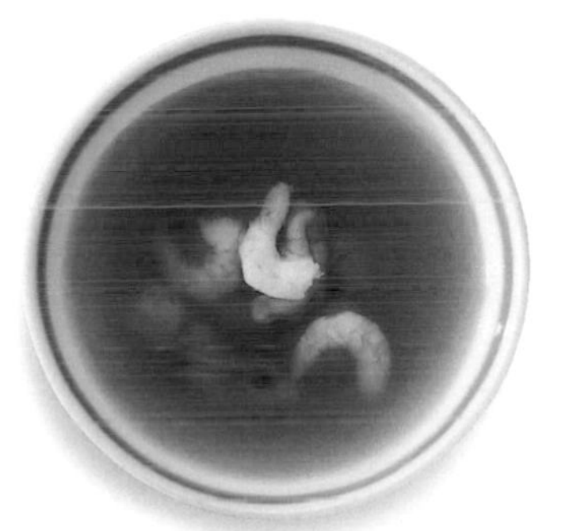

Nage de homard

Cuire **100 g de gnocchis,** environ 5 minutes, dans de l'eau salée, puis les incorporer, de même que **200 g de chair de homard,** à **1 l de bouillon. Saler** et **poivrer.**
(2 426 kj/577 kcal)

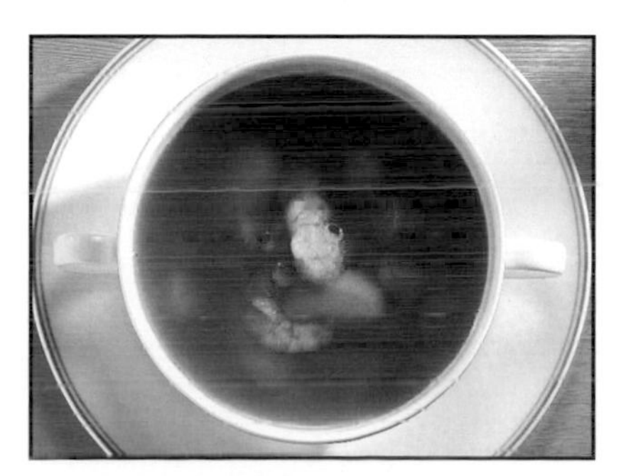

Bouillon au pak-choï

Faire revenir **400 g de pak-choï** dans **3 c.s. d'huile de sésame.** Ajouter **3 c.s. de sauce soja** puis mouiller avec **1 l de fumet miel-moutarde. Saler, poivrer** et assaisonner de **paprika.**
(2 367 kj/563 kcal)

Soupe à la crème de coco

« Fumet de homard » comme base.

Éplucher et couper en dés **300 g de pommes de terre roseval.** Peler et émincer **3 oignons rouges.**

Laver et effeuiller **un demi-bouquet d'estragon.** Faire revenir les pommes de terre et les oignons dans **3 c.s. d'huile de noix.**

Mouiller avec **1 l de fumet de homard** et laisser frémir environ 8 minutes.

Incorporer tous ces ingrédients à la préparation. **Saler** et **poivrer.** Ajouter **1 c.s. de jus de limette** et incorporer **200 g de crème de coco non sucrée.**

Incorporer tous ces ingrédients à la préparation. **Saler** et **poivrer**. Ajouter **1 c.s. de jus de limette** et incorporer **200 g de crème de coco non sucrée.**

Servir la soupe parsemées de **fines herbes.**

(2 396 kj/570 kcal)

Soupe à la mode du Puy

« Fumet de homard » comme base.

Cuire **100 g de lentilles vertes du Puy** dans **1 l de fumet de homard.**

Peler et émincer **100 g d'oignons frais.** Laver et essuyer **12 gambas décortiquées.** Les faire revenir, avec les oignons, dans **2 c.s. de beurre à l'ail.** Ajouter **2 gousses d'ail épluchées et pressées.**

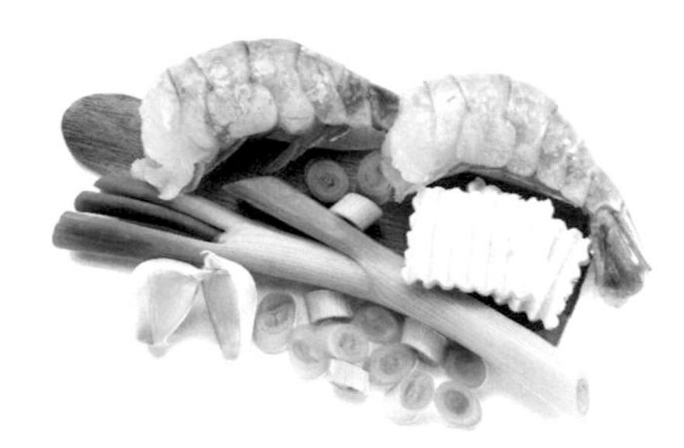

Mouiller avec **le fumet** dans lequel ont cuit les lentilles et laisser frémir environ 4 minutes.

Laver et hacher finement **1 piment rouge.** L'incorporer à la préparation, de même que **quelques brins de marjolaine** lavée et effeuillée.

Saler et poivrer. Additionner la soupe de **3 c.s. de sauce soja** et rectifier l'assaisonnement avec du **poivre citronné.**

Servir la soupe garnie de **petites feuilles de noisetier** grillées.
(2 471 kj/588 kcal)

Soupe au crabe

« Fumet de homard » comme base.

Peler et émincer **200 g d'oignons frais** ainsi que **4 oignons grelots.** Laver et effiler **250 g de pois gourmands.**

Faire revenir tous ces ingrédients dans **2 c.s. de beurre clarifié.** Ajouter **300 g de chair de homard** (en boîte).

Mouiller avec **1 l de fumet de homard** et laisser frémir environ 6 minutes.

Incorporer **2 c.s. de pâte miso, 3 c.s. de sauce soja** et **3 c.s. de jus de limette.**

Saler, poivrer et assaisonner de **gingembre** et de **moutarde en poudre.** Faire griller dans une poêle **4 c.s. de graines de sésame.**

Servir la soupe parsemée de **graines de sésame.**
(2 601 kj/619 kcal)

Recettes et variantes

P. 96 Soupe à l'alose
1re variante : remplacer l'alose par du brochet.
2e variante : remplacer l'alose par du poisson chat.
3e variante : utiliser du fumet de poisson et de saumon.
4e variante : céleri-rave et céleri-branche à parts égales.

P. 96 Velouté aux asperges
1re variante : remplacer la tanche par du brochet ou du sandre.
2e variante : fumet de poisson et de homard à parts égales.
3e variante : tartiner de beurre aux truffes des tranches de pain de mie grillées et les servir avec le velouté.
4e variante : fumet de poisson et fond asiatique à parts égales.
5e variante : remplacer les asperges par des salsifis (en boîte).

P. 97 Velouté à l'anguille
1re variante : remplacer les choux de Bruxelles par un autre légume au choix.
2e variante : fumet de poisson (3/4 l) et bouillon de légumes (1/4 l).
3e variante : anguille fraîche et fumée à parts égales.
4e variante : utiliser du beurre à l'oignon.

P. 100 Soupe lavaret-roquette
1re variante : fumet de poisson (3/4 l) et bouillon de légumes (1/4 l).
2e variante : remplacer le lavaret par de la truite.
3e variante : remplacer les échalotes par des oignons grelots. Les faire frire et les ajouter à la soupe au moment de servir.

P. 100 Velouté hongrois
1re variante : ajouter un peu de riz cuit.
2e variante : fumet de poisson et fumet poisson et coquillages à parts égales.
3e variante : ajouter de la menthe ciselée et lier avec du yaourt.

P. 100 Soupe au brochet
1re variante : remplacer les olives par du raisin sans pépins.
2e variante : fumet de poisson (3/4 l) et jus de raisin blanc (1/4 l).
3e variante : en accompagnement, servir des galettes de pommes de terre garnies de crème et d'œufs de truite.

P. 101 Potage à la truite
1re variante : remplacer les oignons rouges par des blancs.
2e variante : remplacer les champignons de Paris par des trompettes-de-la-mort.
3e variante : parsemer de cresson.

P. 101 Soupe canadienne
1re variante : mélanger fumet de poisson et de homard.
2e variante : ajouter des airelles.
3e variante : chair de saumon et moules à parts égales.

P. 101 Soupe sandre-épinards
1re variante : remplacer les épinards par des bettes.
2e variante : remplacer les épinards par du pak-choï.
3e variante : fumet de poisson et fond asiatique à parts égales.

P. 104 Moules à la nage
1re variante : remplacer les moules par des Saint-Jacques.
2e variante : remplacer l'aneth par du cerfeuil.
3e variante : ajouter 100 g d'emmenthal râpé et faire gratiner.

P. 104 Potage à l'orientale
1re variante : remplacer la semoule par du mil.
2e variante : fumet de poisson et de homard à parts égales.
3e variante : faire revenir les légumes dans du beurre à l'ail.

P. 105 Potage au fenouil
1re variante : remplacer le fenouil par des endives.
2e variante : fumet de poisson (3/4 l) et vin blanc (1/4 l).
3e variante : faire revenir les légumes dans du beurre à l'ail.

P. 108 Nage de flétan
1re variante : remplacer les shiitake par des pleurotes.
2e variante : remplacer les shiitake par des morilles fraîches ou sèches.
3e variante : utiliser du flétan frais.
4e variante : réduire en purée la moitié des champignons et des pois chiches ; additionner de crème fraîche et de moutarde.

P. 108 Nage de merluche
1re variante : varier le mélange de légumes surgelés.
2e variante : remplacer le persil par des herbes de Provence.
3e variante : fumet de poisson (3/4 l) et vin blanc (1/4 l).

P. 108 Soupe hollandaise
1re variante : remplacer les moules fraîches par des moules en conserve ; réduire la moitié en purée et additionner de crème fleurette.
2e variante : utiliser des moules et des coques.
3e variante : parsemer la soupe de feuilles de nori grillées.

P. 109 Nage de thon
1re variante : fumet poisson et coquillages et fumet de homard.
2e variante : additionner d'un peu de curcuma délayé dans du lait de noix de coco.
3e variante : mélanger de la chapelure, de la noix de coco râpée et du beurre. Faire gratiner.

P. 109 Crème de turbot
1re variante : remplacer le turbot par de la limande.
2e variante : filet de poisson et surimi à parts égales.
3e variante : remplacer le turbot par du merlan.
4e variante : lier avec un peu de beurre d'écrevisse.

P. 109 Nage de cabillaud
1re variante : remplacer le maïs par des okras en boîte.
2e variante : remplacer le maïs par du céleri-rave.
3e variante : corser avec une giclée de tabasco.
4e variante : fumet de poisson (3/4 l) et bouillon de légumes (1/4 l).
5e variante : remplacer l'anguille fraîche par de l'anguille fumée.

P. 112 Soupe à la crème de coco
1re variante : ajouter de la chair de homard cuite ou du surimi.
2e variante : fumet de homard et fond asiatique à parts égales.
3e variante : remplacer le cabillaud par un poisson d'eau douce.

P. 112 Soupe à la mode du Puy
1re variante : fumet de homard et de poisson à parts égales.
2e variante : fumet de homard (3/4 l) et saké (1/4 l).
3e variante : couper les gambas en morceaux, les faire mariner env. 15 min dans de la sauce soja et les ajouter à la soupe peu avant de servir.

P. 113 Soupe au crabe
1re variante : faire revenir les légumes dans de l'huile de sésame épicée.
2e variante : fumet de homard (3/4 l) et saké (1/4 l).
3e variante : lier avec du beurre d'écrevisse et de la crème fleurette.

Soupes de légumes et potages aux champignons

Les jardins, les champs et les bois nous fournissent de quoi préparer des soupes tonifiantes aux saveurs subtiles.

Bouillon de légumes

Couper en deux **1 oignon.** Éplucher et couper en morceaux **200 g de navets, 250 g de céleri-rave** de même que **200 g de bulbe de persil.** Nettoyer, laver et détailler en tronçons **250 g de poireaux.** Faire revenir tous les ingrédients dans **3 c.s. de beurre.** Mouiller avec **100 ml de vin rosé** et **1 l d'eau.** Ajouter **1 c.c. du mélange cinq-baies, 2 c.s. de sel marin, 4 baies de genièvre, 2 feuilles de thym** et **1 bouquet de persil ciselé.** Cuire à petit feu environ 1 heure 30 ninutes puis filtrer le bouillon en le passant à l'étamine. Rectifier l'assaisonnement en **sel** et en **poivre.**

(830 kj/197 kcal)

Bouillon à la coriandre

Laver, essorer et effeuiller **2 bouquets de coriandre.** Les ajouter à **1 l de bouillon de légumes.** Compter environ 20 minutes de cuisson à petit feu. Filtrer le bouillon en le passant à l'étamine, **Saler** et forcer sur le **poivre.**

(854 kj/204 kcal)

Bouillon aux endives

Peler et émincer **4 échalotes.** Les faire revenir dans **2 c.s. de beurre clarifié** puis caraméliser avec **1 c.s. de sucre brun.** Ajouter **200 g d'endives coupées en lanières.** Mouiller avec **1 l de bouillon de légumes.**

(1439 kJ/342 kcal)

Velouté à l'avocat

Éplucher et couper en morceaux **1 avocat** et **1 concombre. Citronner. Saler** et **poivrer.** Réduire ces ingrédients en purée et les incorporer à **1 l de bouillon de légumes chaud.** Laisser refroidir puis servir.

(1 298 kJ/309 kcal)

« Bouillon à la coriandre » comme base.

Soupe de pommes de terre
Écraser **300 g de pommes de terre** cuites. Les faire revenir avec **50 g d'oignons émincés** dans **3 c.s. de beurre.** Saupoudrer de **farine. Saler.** Mouiller avec **1 l de bouillon.**
(1 726 kj/411 kcal)

Bouillon aux panais
Éplucher et couper en rondelles **100 g de carottes** et **100 g de panais.** Les faire revenir dans **2 c.s. de beurre aux fines herbes.** Mouiller avec **1 l de bouillon** et incorporer **50 g de riz vert cuit.**
(1 461 kj/348 kcal)

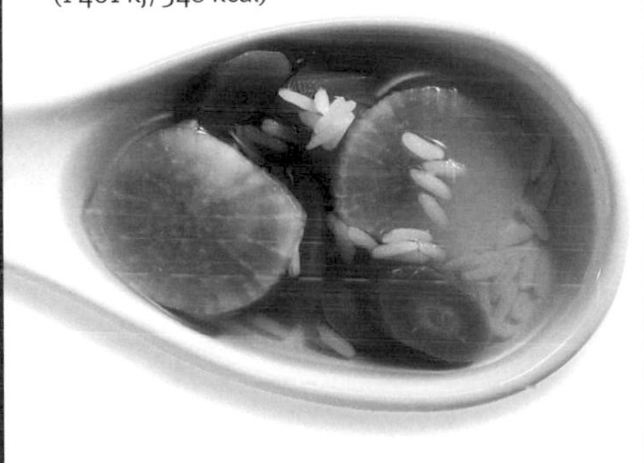

Bouillon au pé-tsaï
Nettoyer, laver et couper en lanières **200 g de pé-tsaï.** Le faire revenir dans **2 c.s. de beurre à l'ail.** Mouiller avec **1 l de bouillon à la coriandre. Saler, poivrer** et assaisonner de **paprika.**
(1 201 kj/286 kcal)

« Bouillon aux endives » comme base.

Bouillon au riz sauvage
Cuire **100 g de riz sauvage** dans **1 l de bouillon aux endives. Saler** et **poivrer.** Laver, essorer et ciseler **1 bouquet de persil.** En parsemer la soupe et servir.
(1 809 kj/430 kcal)

Bouillon au céleri
Éplucher et couper en lanières **200 g de céleri-rave.** Le faire cuire dans **1 l de bouillon aux endives.** Servir le bouillon parsemé **de feuilles de céleri ciselées.**
(1 484 kj/353 kcal)

Velouté au xérès
Mélanger **2 c.s. de xérès** et **100 g de crème fraîche. Saler, poivrer** et assaisonner de **sauce soja et de poivre citronné.** Verser dans **1 l de bouillon aux endives.** Laisser brièvement frémir.
(1 779 kj/423 kcal)

« Velouté à l'avocat » comme base.

Velouté au fromage
Couper en dés **150 g de fromage de chèvre à pâte molle.** Égoutter **100 g de piments doux en conserve.** Incorporer ces ingrédients à **1 l de velouté à l'avocat.**
(2 174 kj/517 kcal)

Velouté aux pignons
Dans une poêle, faire griller à sec **100 g de pignons.** Hacher finement **1 bouquet de persil.** Garnir de ces ingrédients **1 l de velouté à l'avocat.**
(1 968 kj/468 kcal)

Assiette primavera
Préparer une chantilly avec **100 g de crème fleurette.** Couper en tranches très fines **1 limette non traitée.** Garnir de ces ingrédients **1 l de velouté à l'avocat.**
(1 589 kj/378 kcal)

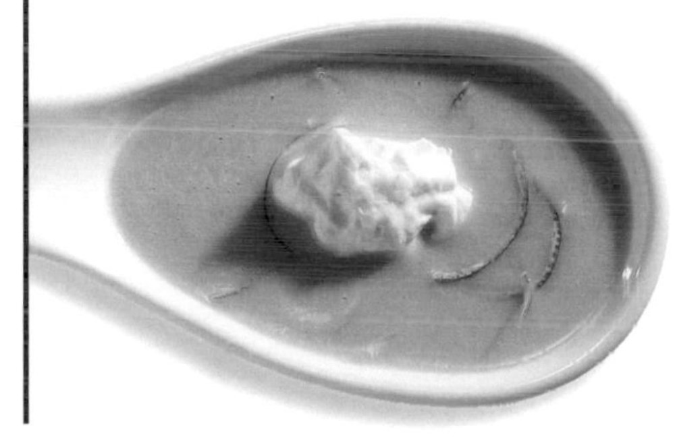

Soupe au chou vert

« Bouillon de légumes » comme base.

Laver et couper en morceaux **800 g de chou vert frisé.** Peler et émincer **3 oignons.** Laver et couper en julienne **1 garniture aromatique.**

Couper en lanières **150 g de lard** et le faire revenir dans **3 c.s. de graisse d'oie.** Ajouter le chou et les oignons.

Mouiller avec **1 l de bouillon de légumes.**

Laver et couper en rondelles **4 saucisses.** Les faire cuire environ 20 minutes dans la soupe. **Saler, poivrer** et assaisonner de **piment en poudre.** Ajouter **2 c.s. de moutarde.**

Laver, essorer et ciseler **1 bouquet de marjolaine.** L'incorporer à la soupe, de même que **50 ml de crème fleurette.**

Servir la soupe.
(4 565 kj/1 087 kcal)

Bouillon aux bettes

« Bouillon de légumes » comme base.

Nettoyer, laver et couper en lanières **500 g de bettes.** Les blanchir brièvement dans de l'eau salée puis les réduire en purée. Tremper **1 petit pain rassis** dans de l'eau puis presser la mie.

La mélanger à **3 œufs, 100 g de chapelure** et **100 g de gouda râpé**. Additionner ce mélange d'**un bouquet de persil** lavé, essoré et ciselé. Façonner des boulettes.

Les faire cuire à petit feu, environ 7 minutes, dans **1 l de bouillon de légumes.**

Égoutter **2 c.s. de câpres** et les incorporer à la préparation. Ajouter **quelques giclées de sauce Worcester.**

Saler, poivrer et assaisonner de **piment en poudre.**

Servir le bouillon avec du **pain grillé.**
(2 328 kj/554 kcal)

Soupe aux pissenlits

« Bouillon de légumes » comme base.

Éplucher, laver et couper en dés **500 g de pommes de terre.** Peler et émincer **3 oignons.**

Faire revenir ces ingrédients dans **2 c.s. d'huile de tournesol. Saler** et **poivrer.** Déglacer avec **5 c.s. de vin rouge.**

Mouiller avec **1 l de bouillon de légumes.** Laisser frémir environ 10 minutes.

Laver et couper en lanières **100 g de pissenlits jeunes.** Ajouter **2 gousses d'ail épluchées et pressées.**

Incorporer ces ingrédients à la soupe. **Saler, poivrer** et assaisonner de **coriandre en poudre.**

Compter environ 4 minutes de cuisson supplémentaires et servir.
(1 779 kj/423 kcal)

Soupe vitello

« Bouillon de légumes » comme base.

Laver et couper en morceaux **200 g de poitrine de veau.** Nettoyer et couper en brunoise **1 garniture aromatique.**

Faire revenir tous ces ingrédients dans **2 c.s. de beurre clarifié.** Mouiller avec **1 l de bouillon de légumes.** Laisser frémir environ 6 minutes.

Nettoyer, laver et diviser en bouquets **200 g de chou-fleur.** Les faire cuire à petit feu, environ 5 minutes, avec la préparation. **Saler, poivrer** et assaisonner de **noix muscade.**

Servir la soupe.
(1 627 kj/387 kcal)

Soupe au romanesco

« Soupe vitello » comme base.

Nettoyer, laver et diviser en bouquets **200 g de chou-fleur romanesco.** Faire cuire dans **1 l de soupe vitello.**

Délayer dans la soupe **2 c.s. de pesto.** Ajouter **quelques brins de basilic** lavé, essoré et ciselé.

Additionner de **3 c.s. de xérès** et d'**un peu de sel.**

Servir la soupe.
(1 840 kj/438 kcal)

Soupe aux 3 choux-fleurs

« Soupe au romanesco » comme base.

Nettoyer, laver et diviser en bouquets **200 g de brocolis.** Laver, essorer et ciseler **quelques brins de persil.**

Faire chauffer **1 l de soupe au romanesco.** Ajouter les brocolis, le persil et **1 giclée de tabasco.**

Dans une poêle, faire griller à sec **60 g d'amandes effilées** et les **saler légèrement.**

Servir la soupe parsemée d'**amandes grillées.**
(2 287 kj/544 kcal)

Soupe légumes-jambon

« Soupe aux 3 choux-fleurs » comme base.

Faire chauffer dans **1 l de soupe aux 3 choux-fleurs 150 g de jambon blanc coupé en lanières.** Incorporer lentement à la soupe **1 œuf mélangé à 3 c.s. de chapelure.**

(2 845 kj/677 kcal)

Soupe aux chips

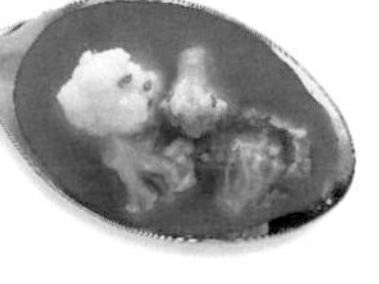

« Soupe légumes-jambon » comme base.

Faire frire **4 pommes de terre** épluchées et coupées en tranches très fines. Chauffer **1 l de soupe aux 3 choux-fleurs** et incorporer **100 g de boulettes à la moelle.** Servir la soupe avec les chips.

(3 553 kj/846 kcal)

Soupe au parmesan

« Soupe aux chips » comme base.

Faire revenir **100 g de chapelure** dans **un peu d'huile d'olive** puis ajouter **100 g de parmesan.** Additionner de ce mélange **1 l de soupe aux chips** et faire gratiner.

(4 546 kj/1 082 kcal)

Suggestion

Pour rehausser la saveur des soupes au chou-fleur, les faire gratiner avec du fromage mélangé à de l'œuf.

Fumet de champignons

Faire tremper dans un peu d'eau **150 g de champignons secs** ou laver et couper en morceaux **1 kg de champignons des bois frais.** Nettoyer, laver et couper en brunoise **2 garnitures aromatiques.** Couper en deux **4 oignons.** Éplucher et hacher finement **3 gousses d'ail.** Faire revenir le tout dans **3 c.s. de beurre. Saler** et **poivrer.** Mouiller avec **500 ml de bouillon de légumes** et ajouter **700 ml d'eau.** Laver et effeuiller **1 bouquet de thym.** Ajouter **1 c.c. du mélange cinq-baies** et **3 baies de genièvre.** Cuire à petit feu environ 1 heure puis filtrer le bouillon en le passant à l'étamine et servir.
(980 kj/233 kcal)

Fumet de morilles

Égoutter **150 g de morilles en boîte** et les couper en dés. Peler et émincer **2 oignons frais.** Faire revenir le tout dans **2 c.s. de beurre pour grillades. Saler** et **poivrer.** Mouiller avec **1 l de fumet de champignons.**
(1 363 kj/324 kcal)

Fumet de truffes

Escaloper **25 g de truffes** et les humecter de **2 cl d'Armagnac.** Puis verser le tout dans **1 l de fumet de champignons** et laisser frémir environ 10 minutes. **Saler** et **poivrer** éventuellement.
(1 040 kj/247 kcal)

Fumet de cèpes

Laver et couper en morceaux **200 g de cèpes.** Les faire revenir dans **2 c.s. de beurre à l'ail. Saler** et assaisonner de **piment en poudre.** Mouiller avec **1 l de fumet de champignons.** Laisser frémir environ 5 minutes et servir.
(1 029 kj/245 kcal)

« Fumet de morilles » comme base.

Potage berlinois

Dans **1 l de fumet de morilles,** chauffer **100 g de pointes d'asperges.** Ajouter **8 c.s. de vin blanc, 2 c.s. de jus de citron,** du **sel** et **5 c.s. de crème fleurette.**

(1 772 kj/422 kcal)

Potage morilles-paprika

Égoutter **100 g de poivrons au vinaigre.** Mouiller avec **800 ml de fumet de morilles** et **200 ml de vin rouge. Saler, poivrer** et assaisonner de **paprika.**

(1 302 kj/310 kcal)

Potage morilles-langue

Couper en lanières **150 g de langue cuite.** La faire revenir dans **2 c.s. de beurre clarifié. Saler** et **poivrer.** Mouiller avec **1 l de fumet de morilles.**

(2 100 kj/500 kcal)

« Fumet de truffes » comme base.

Bouillon pesto rosso

Incorporer hors du feu **3 c.s. de pesto rosso** et **1 c.s. de crème fermentée à 1 l de fumet de truffes bien chaud.** Parsemer **d'estragon** lavé et effeuillé.

(1 298 kj/309 kcal)

Potage aux borettanes

Égoutter **100 g de borettanes (oignons au vinaigre balsamique)** et les faire revenir dans **2 c.s. d'huile d'olive. Saler** et **poivrer.** Mouiller avec **1 l de fumet aux truffes.**

(1 459 kj/347 kcal)

Potage toulousain

Écaler et hacher finement **2 œufs durs.** Égoutter et couper en dés **150 g de fonds d'artichaut.** Les incorporer à **1 l de fumet de truffes** et lier avec **100 g de crème fraîche.**

(1 603 kj/381 kcal)

« Fumet de cèpes » comme base.

Potage aux bretzels

Morceler **2 bretzels.** Les faire griller dans **2 c.s. de saindoux.** Casser dessus **4 œufs.** Mouiller avec **1 l de fumet de cèpes** et faire prendre les œufs.

(2 073 kj/493 kcal)

Potage à la saucisse

Trancher **150 g de saucisse de foie** et faire revenir dans **2 c.s. de beurre clarifié.** Ajouter **2 cl de schnaps.** Mouiller avec **1 l de fumet de cèpes. Saler** et **poivrer.**

(1 866 kj/444 kcal)

Assiette du capitaine

Égoutter et couper en deux **4 œufs de mouette** (en bocal). Partager en quatre **1 l de fumet de cèpes.** Servir chaque portion avec **1 œuf** tranché **et 20 g de lardons frits.**

(2 073 kj/493 kcal)

Soupe forestière

« Fumet de champignons » comme base.

Laver du **cresson en couche.** Laver, essorer et ciseler **1 bouquet de ciboulette.**

Laver, essorer et hacher finement **2 brindilles de pimprenelle** et **2 de bourrache.** Nettoyer et couper en morceaux **200 g de pleurotes.**

Faire revenir tous les ingrédients dans **2 c.s. de beurre clarifié.**

Mouiller avec **1 l de fumet de champignons. Saler, poivrer** et ajouter un **peu de sucre.**

Écaler et hacher finement **3 œufs durs.** Lier la soupe avec **3 c.s. de crème fermentée** et **5 c.s. de crème fleurette.**

Servir la soupe et l'additionner d'œufs hachés.
(2 144 kj/510 kcal)

Soupe aux champignons

« Fumet de champignons » comme base.

Nettoyer, laver et trancher **300 g de champignons bistres.** Effiler, laver et couper en morceaux **100 g de céleri-branche.**

Éplucher et presser **2 gousses d'ail.** Faire revenir le tout dans **2 c.s. d'huile à l'ail.** Ajouter **100 g de tomates concassées.**

Mouiller avec **1 l de fumet de champignons** et laisser frémir environ 6 minutes.

Laver, essorer et ciseler **quelques brins de persil** et **d'estragon.**

Les incorporer à la soupe. **Saler, poivrer** et assaisonner de **paprika.**

Servir la soupe.
(1 473 kj/350 kcal)

Soupe aux spaghettis

« Fumet de champignons » comme base.

Égoutter **200 g de champignons mélangés** (en boîte). Peler et émincer **1 oignon.**

Faire revenir ces ingrédients dans **2 c.s. de beurre.** Ajouter **2 gousses d'ail** épluchées et pressées.

Mouiller avec **1 l de fumet de champignons** et laisser frémir environ 6 minutes.

Faire cuire dans le bouillon **100 g de spaghettis.** Laver, essorer et ciseler **1 demi-bouquet de basilic.**

Saler, poivrer et assaisonner de **paprika** ainsi que **de piment en poudre.** Incorporer le basilic.

Servir la soupe.
(1 850 kj/440 kcal)

Potage des bois

« Fumet de champignons » comme base.

Faire tremper **70 g de champignons secs** dans **un peu de vin rouge.** Laver et essuyer **200 g de gibier.**

Égoutter les champignons. Faire revenir tous les ingrédients dans **2 c.s. de beurre clarifié.** Assaisonner d'**épices à gibier.**

Mouiller avec **1 l de fumet de champignons** et laisser frémir environ 20 minutes.

Servir le potage parsemé de **fines herbes.**
(1 720 kj/409 kcal)

Potage aux orties

« Potage des bois » comme base.

Laver et ciseler **ail sauvage, pissenlits, oseille** et **orties** (80 g de chaque).

Faire revenir ces herbes dans **2 c.s. de beurre au poivre. Saler, poivrer** et assaisonner de **piment en poudre.**

Ajouter **2 gousses d'ail** épluchées et pressées. Mouiller avec **1 l de potage des bois** et laisser frémir environ 8 minutes.

Servir le potage.
(2 154 kj/513 kcal)

Soupe à la sarriette

« Potage aux orties » comme base.

Nettoyer, laver et couper en morceaux **250 g de haricots verts.** Les cuire environ 5 minutes dans **1 l de potage aux orties.**

Ajouter **5 c.s. de bière au malt.** Incorporer **quelques brins de sarriette** lavée et ciselée.

Saler, poivrer et assaisonner d'**un peu de paprika.**

Servir la soupe.
(2 258 kj/537 kcal)

Soupe aux chanterelles

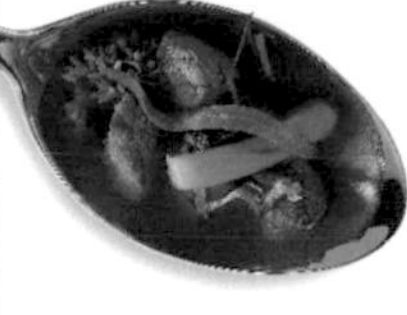

« Soupe aux chanterelles » comme base.

Égoutter **200 g de chanterelles** (en boîte) et les faire revenir avec **100 g de gibier fumé coupé en morceaux**. Mouiller avec **1 l de soupe à la sarriette. Saler** et **poivrer.**
(2 671 kj/636 kcal)

Soupe badoise

« Soupe aux chanterelles » comme base.

Faire cuire **100 g de pâtes** dans **1 l de soupe aux chanterelles.** Incorporer **un demi-bouquet de persil** lavé, essoré et ciselé. **Saler, poivrer** et assaisonner de **paprika** avant de servir.
(2 806 kj/668 kcal)

Velouté au porto

« Soupe badoise » comme base.

Incorporer **50 g de pâté de gibier** et **2 c.s. de porto** à **1 l de soupe badoise.** Laisser frémir environ 3 minutes. Lier avec **100 g de crème fermentée. Saler** et **poivrer** puis servir.
(3 224 kj/767 kcal)

Suggestion

Un jaune d'œuf mélangé à de la crème fouettée et saupoudrée de curry rend ces soupes plus onctueuses.

Crème de chanterelles

« Fumet de champignons » comme base.

Faire tremper dans un peu d'eau **100 g de chanterelles séchées.** Peler et émincer **2 oignons.**

Égoutter les chanterelles. Éplucher et couper en dés **100 g de pommes de terre.** Faire revenir le tout dans **3 c.s. d'huile d'olive.**

Saler, poivrer et assaisonner de **paprika.** Déglacer avec **2 cl de xérès** puis mouiller avec **1 l de fumet de champignons.** Laisser frémir env. 10 minutes puis mixer.

Servir la crème parsemée de **cresson.**
(1 702 kj/405 kcal)

Soupe curry-champignons

« Fumet de champignons » comme base.

Faire tremper dans un peu de **fumet de champignons 75 g de black-fungus secs.** Cuire **100 g de riz** dans **1 l de fumet de champignons.**

Égoutter les champignons. Nettoyer, laver et émincer **1 botte d'oignons frais.** Éplucher et hacher finement **2 gousses d'ail.**

Faire revenir tous les ingrédients dans **2 c.s. de beurre aux fines herbes. Saler, poivrer** et assaisonner de **curry.** Déglacer puis incorporer au fumet et laisser frémir environ 8 minutes.

Servir la soupe parsemée de **fines herbes.**
(1 957 kj/466 kcal)

Soupe d'Asie du Sud-Est

« Fumet de champignons » comme base.

Faire tremper dans un peu d'eau **75 g de champignons asiatiques.** Cuire **100 g de nouilles asiatiques** dans **1 l de fumet de champignons.**

Nettoyer, laver et couper en rondelles **100 g de poireaux.** Laver **100 g de pousses de soja.** Égoutter les champignons.

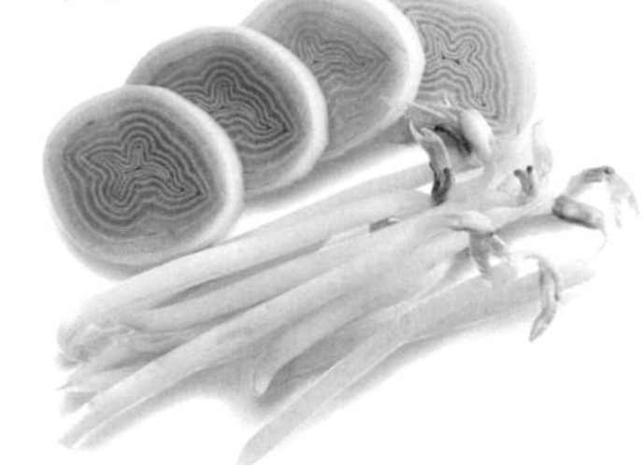

Faire revenir les légumes dans **2 c.s. d'huile de cacahuète.** Ajouter **4 c.s. de sauce soja** et un peu de **sambal oelek.**

Mouiller avec **1 l de fumet de champignons.** Laisser frémir env. 4 minutes puis servir.
(2 104 kj/501 kcal)

Velouté d'amanites

« Fumet de champignons » comme base.

Laver et essuyer **200 g de petits pois congelés.** Peler et émincer **2 oignons rouges.**

Faire revenir ces ingrédients dans **2 c.s. de beurre. Saler, poivrer** et assaisonner de **paprika**. Faire tremper dans un peu d'eau **50 g d'amanites des Césars séchées.**

Égoutter les champignons. Incorporer tous les ingrédients dans **1 l de fumet de champignons.** Ajouter **1 bouquet de basilic** lavé, essoré et ciselé.

Lier le velouté avec **100 g de crème fraîche** et **50 g de crème fleurette** puis servir.
(2 101 kj/500 kcal)

Soupe aux craterelles

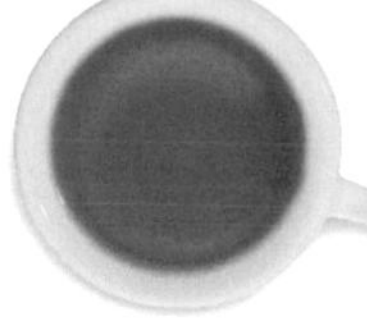

« Fumet de champignons » comme base.

Faire tremper dans un peu d'eau **75 g de trompettes-de-la-mort ou craterelles séchées.** Éplucher et hacher finement **2 gousses d'ail.**

Égoutter les champignons. Éplucher et râper un petit morceau de gingembre. Laver et hacher finement **1 petit piment rouge.** Faire revenir le tout dans **3 c.s. de beurre au poivre.**

Saler et **poivrer** puis mouiller avec **1 l de fumet de champignons.**

Servir la soupe.
(1 684 kj/401 kcal)

Soupe à la parisienne

« Fumet de champignons » comme base.

Laver et couper en morceaux **200 g de bulbe de fenouil.** Nettoyer, laver et escaloper **100 g de champignons de Paris.**

Peler et émincer **2 échalotes.** Faire revenir tous les ingrédients dans **3 c.s. de beurre. Saler, poivrer** et assaisonner de **piment en poudre.**

Mouiller avec **1 l de fumet de champignons.** Incorporer **1 bouquet de persil** lavé, essoré et ciselé.

Servir la soupe parsemée de **fines herbes.**
(1 625 kj/387 kcal)

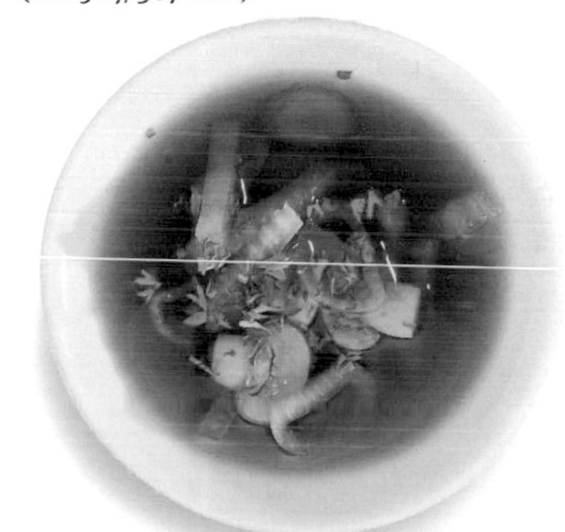

Recettes et variantes

P. 120 Soupe au chou vert
1re variante : bouillon de légumes et bouillon de bœuf clair à parts égales.
2e variante : remplacer les saucisses par des côtes de porc fumées.
3e variante : bouillon de légumes et bouillon d'oie à parts égales.
4e variante : remplacer le chou frais par du chou surgelé.

P. 120 Bouillon aux bettes
1re variante : bouillon de légumes et bouillon de veau à parts égales.
2e variante : ajouter de la saucisse italienne à l'ail.
3e variante : remplacer les bettes par du cardon.
4e variante : bouillon de légumes et bouillon d'oie à parts égales.

P. 121 Soupe aux pissenlits
1re variante : pommes de terre et topinambours à parts égales.
2e variante : pommes de terre et patates douces à parts égales.
3e variante : servir avec des lardons frits.
4e variante : bouillon de légumes et de gibier à parts égales.
5e variante : réduire en purée la moitié des ingrédients et lier avec de la crème fermentée.
6e variante : servir la soupe avec de l'ail frit.

P. 124 Potage maïs-okras
1re variante : bouillon de légumes et d'oie à parts égales.
2e variante : ajouter de la sauce piquante (hot salsa).
3e variante : remplacer les épis de maïs par un mélange mexicain de légumes surgelés.

P. 124 Potage aux radis
1re variante : chou-fleur et romanesco à parts égales.
2e variante : bouillon de légumes et d'oie à parts égales.
3e variante : servir le potage avec de la chapelure qui a coloré dans du beurre.

P. 124 Potage au curcuma
1re variante : brocolis et romanesco à parts égales.
2e variante : réduire en purée la moitié des légumes et lier avec du yaourt.
3e variante : bouillon de légumes et de poule à parts égales.

P. 125 Potage pimenté
1re variante : bouillon de légumes et de gibier à parts égales.
2e variante : remplacer les carottes par des bulbes de persil.
3e variante : employer du raifort et des radis avec leurs fanes.

P. 125 Crème au chou-rave
1re variante : chou-rave et navets à parts égales.
2e variante : bouillon de légumes et d'agneau à parts égales.
3e variante : ajouter des saucisses coupées en rondelles.

P. 125 Minestrone
1re variante : remplacer la garniture aromatique par un mélange italien de légumes surgelés.
2e variante : bouillon de légumes et de veau à parts égales.
3e variante : peu avant de servir, ajouter un peu d'huile aux truffes.

P. 128 Soupe forestière
1re variante : remplacer les pleurotes par des champignons des bois.
2e variante : fumet de champignons et bouillon de légumes à parts égales.
3e variante : ajouter un peu de liqueur aux herbes.
4e variante : remplacer la pimprenelle par des fines herbes surgelées.
5e variante : fumet de champignons, bouillon de veau et cidre à parts égales.

P. 128 Soupe aux champignons
1re variante : fumet de champignons et bouillon de gibier à parts égales.
2e variante : mixer la moitié des champignons et des légumes et lier avec un peu de fromage frais aux fines herbes.
3e variante : ajouter quelques brindilles d'estragon frit.
4e variante : employer d'autres champignons.
5e variante : fumet de champignons et fond asiatique à parts égales.

P. 132 Crème de chanterelles
1re variante : fumet de champignons et bouillon de gibier à parts égales
2e variante : fumet de champignons (3/4 l) et vin rouge (1/4 l)
3e variante : ajouter des lardons frits

P. 132 Soupe curry-champignons
1re variante : fumet de champignons et fond asiatique à parts égales.
2e variante : incorporer 100 g de pousses de soja.
3e variante : mixer les ingrédients, sauf le riz, et forcer sur le curry.

P. 132 Soupe d'Asie du Sud-Est
1re variante : fumet de champignons et bouillon de légumes à parts égales.
2e variante : ajouter de l'omelette ou un œuf au plat dans chaque assiette de soupe.

P. 133 Velouté d'amanites
1re variante : fumet de champignons et bouillon de légumes à parts égales.
2e variante : réduire en purée la moitié des ingrédients et les additionner de crème fraîche.
3e variante : ajouter du blanc d'œuf fouetté en neige et faire gratiner.

P. 133 Soupe aux craterelles
1re variante : utiliser d'autres champignons.
2e variante : corser le fumet de champignons avec de la pâte miso.
3e variante : fumet de champignons et bouillon de gibier à parts égales.

P. 133 Soupe à la parisienne
1re variante : ajouter un peu de purée de poivron et d'aubergine.
2e variante : fumet de champignons et bouillon de veau à parts égales.
3e variante : couper en tranches fines la moitié du fenouil, le faire frire et le. répartir sur les assiettes avant de servir la soupe.

Soupes légères

Manger léger et de façon bien équilibrée tout en se régalant, cuillerée après cuillerée.

Bouillon de pigeon

Laver et essuyer **3 pigeons.** Nettoyer, laver et couper en brunoise **une garniture aromatique.** Couper en deux **2 oignons.** Faire revenir tous les ingrédients dans **2 c.s. de beurre clarifié.** Ajouter **1 bouquet de persil** lavé, essoré et ciselé. Mouiller avec **100 ml de vin blanc** et **1 l d'eau.** Laisser cuire à petit feu environ 1 heure. Ajouter **1 c.s. de grains de poivre, 2 c.s. de sel marin** et **3 baies de genièvre** puis filtrer le fumet en le passant à l'étamine et servir. Désosser les pigeons et servir la chair à part.

(2 179 kj/519 kcal)

Bouillon au romarin

Laver et couper en morceaux **2 branches de romarin.** Les faire revenir dans **1 c.s. d'huile d'olive.** Mouiller avec **1 l de bouillon de pigeon.** Laisser frémir environ 15 minutes. **Saler, poivrer** et servir.

(1 591 kj/379 kcal)

Bouillon au soja

Laver, essorer et ciseler **1 bouquet de ciboulette.** L'incorporer à **1 l de bouillon de pigeon** additionné de **3 c.s. de sauce soja claire.** Laisser frémir environ 10 minutes. **Saler, poivrer** et assaisonner de **poivre citronné.**

(1 594 kj/379 kcal)

Bouillon au poivre

Faire revenir **quelques grains de poivre écrasés** et **50 g d'oignons émincés** dans **2 c.s. de beurre aux fines herbes.** Mouiller avec **1 l de bouillon de pigeon.** Laisser frémir environ 10 minutes. **Saler** légèrement et servir.

(1 705 kj/406 kcal)

« Bouillon au romarin » comme base.

Potage au maïs

Faire revenir **200 g de légumes surgelés (mélange mexicain)** dans du **beurre.** Mouiller avec **1 l de bouillon au romarin. Saler, poivrer** et servir.
(1 833 kj/436 kcal)

Bouillon Colombine

Nettoyer, laver, escaloper et citronner **200 g de champignons.** Les faire revenir puis mouiller avec **1 l de bouillon au romarin** et servir.
(1 638 kj/390 kcal)

Bouillon au tofu

Faire cuire à petit feu, environ 8 minutes, 50 g de légumes au tofu dans **1 l de bouillon au romarin. Saler, poivrer** et servir.
(1 629 kj/388 kcal)

« Bouillon au soja » comme base.

Bouillon à l'indienne

Délayer **1 c.c. de curry** dans **4 c.s. de chutney à la mangue** et incorporer le tout à **1 l de bouillon au soja.** Laisser frémir environ 6 minutes et servir.
(1 755 kj/418 kcal)

Bouillon tofu-soja

Couper en dés **100 g de tofu** et le faire macérer brièvement dans **3 c.s. de sauce soja.** Mouiller avec **1 l de bouillon au soja.** Laisser frémir environ 4 minutes.
(1 711 kj/407 kcal)

Bouillon » bamboo «

Égoutter et couper en lanières **200 g de pousses de bambou** puis les faire cuire à petit feu, environ 5 minutes, dans **1 l de bouillon au soja. Saler** et **poivrer.**
(1 633 kj/389 kcal)

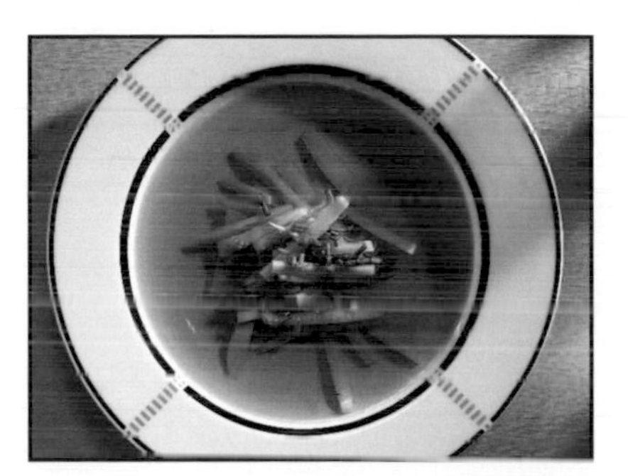

« Bouillon au poivre » comme base.

Bouillon à la courge

Égoutter et couper en morceaux **200 g de courge à l'aigre-doux.** L'incorporer, avec **un jaune d'œuf battu,** à **1 l de bouillon au poivre.** Laisser frémir environ 4 minutes.
(1 809 kj/430 kcal)

Bouillon au gruau

Peler, laver et émincer **1 botte d'oignons frais.** Les faire revenir dans du beurre. Mouiller avec **1 l de bouillon au poivre.** Ajouter **80 g de gruau.** Compter 20 minutes de cuisson. (2 040 kj/485 kcal)

Potage tomate-avocat

Éplucher et couper **2 avocats.** Les citronner et les faire tiédir dans **1 l de bouillon au poivre** additionné d'**une c.s. de concentré de tomate.**
(2 274 kj/541 kcal)

Potage au yaourt

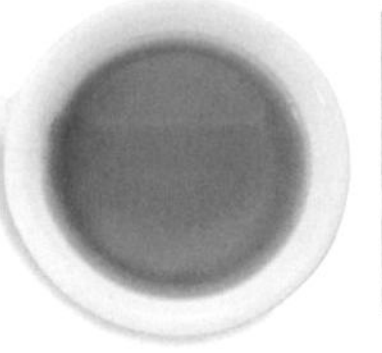

« Bouillon de pigeon » comme base.

Nettoyer, laver et couper en rondelles **200 g de poireaux.** Laver et couper en quartiers **3 tomates bien mûres.**

Éplucher et trancher **2 bulbes de persil.** Peler et détailler en brunoise **200 g de céleri-rave.** Laver et couper en lanières **200 g de blanc de poulet.**

Faire cuire ces ingrédients à petit feu, environ 10 minutes, dans **1 l de bouillon de pigeon.**

Ajouter **1 cl de vin blanc. Saler, poivrer** et assaisonner de **paprika.**

Incorporer **100 g de yaourt** et **une pointe de safran.**

Servir le potage parsemé de **fines herbes.**

(1 744 kj/415 kcal)

Velouté des 4 saisons

« Bouillon de pigeon » comme base.

Gratter, laver et couper en rondelles **1 botte de radis rouges** de même qu'**un radis blanc.**

Laver, essorer et ciseler **quelques brins de basilic** et de persil.

Laisser refroidir et dégraisser **1 l de bouillon de pigeon.**

Incorporer au bouillon les différents radis, les herbes aromatiques et **4 c.s. de jus de citron.** Ajouter **2 gousses d'ail** épluchées et pressées.

Assaisonner de **sel marin** et du **mélange cinq-baies**. Ajouter **un peu de sucre** et lier avec **100 g de crème fraîche.**

Servir le velouté parsemé d'**aneth.**
(1 819 kj/433 kcal)

Bouillon aux épices

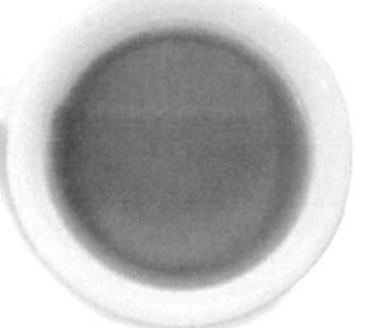

« Bouillon de pigeon » comme base.

Éplucher, laver et couper en rondelles **200 g de pommes de terre.** Peler et émincer **3 oignons.**

Faire revenir le tout dans **2 c.s. de beurre**. Ajouter **2 gousses d'ail** épluchées et pressées, **1 petit piment** nettoyé, lavé et finement haché.

Mouiller avec **1 l de bouillon de pigeon** et laisser frémir environ 8 minutes.

Ajouter **100 g de côte de porc fumée coupée en lanières** et **1 c.s. de câpres.**

Incorporer **une brindille de marjolaine** lavée, essorée et finement hachée. **Saler, poivrer** et assaisonner de **coriandre en poudre.**

Servir le bouillon parsemé de **fines herbes.**
(2 250 kj/535 kcal)

Potage vin-fenouil

« Bouillon de pigeon » comme base.

Nettoyer, laver et couper en morceaux **4 petits bulbes de fenouil.** Peler et émincer **1 oignon.**

Faire revenir ces ingrédients dans **3 c.s. d'huile de cacahuète. Saler, poivrer** et assaisonner de **paprika.**

Ajouter **une pointe de gingembre rapé.** Mouiller avec **800 ml de bouillon de pigeon** et **250 ml de vin blanc.** Laisser frémir environ 7 minutes.

Servir le potage parsemé de **brindilles de fenouil.**
(2 185 kj/520 kcal)

Potage tomates-fenouil

« Potage vin-fenouil » comme base.

Peler et concasser **200 g de tomates.** Éplucher et hacher finement **1 gousse d'ail.**

Faire revenir le tout dans **2 c.s. de beurre aux fines herbes.** Mouiller avec **1 l de potage vin-fenouil.**

Assaisonner de **sel à la tomate et aux épices** ainsi que de **piment en poudre.**

Servir le potage.
(2 547 kj/606 kcal)

Potage fenouil-hachis

« Potage tomates-fenouil » comme base.

Peler et émincer **2 oignons frais.** Nettoyer, laver et escaloper **100 g de champignons de Paris.**

Faire revenir ces ingrédients, de même que **200 g de bœuf haché,** dans **2 c.s. d'huile de cacahuète.**

Saler, poivrer et assaisonner de **coriandre** et **de piment en poudre.** Mouiller avec **1 l de potage tomates-fenouil** et laisser frémir brièvement.

Servir le potage.
(3 676 kj/875 kcal)

Potage vin-vermicelles

« Potage fenouil-hachis » comme base.

Cuire **50 g de vermicelles** dans **1 l de potage fenouil-hachis.** Ajouter **200 ml de vin blanc** et laisser frémir environ 5 minutes. **Saler** et **poivrer.**
(4 080 kj/971 kcal)

Assiette paysanne

« Potage vin-vermicelles » comme base.

Égoutter **150 g de maïs en boîte.** Le faire chauffer dans **1 l de potage vin-vermicelles.** Incorporer **quelques brins de persil** lavé, essoré et ciselé.
(4 631 kj/1 102 kcal)

Soupe au seigle

« Assiette paysanne » comme base.

Frotter à l'ail et faire griller **4 tranches de pain de seigle.** Les saupoudrer de **200 g d'emmenthal** et faire gratiner. Diviser en quatre **1 l de soupe de base** et ajouter une tranche de pain par assiette.
(5 865 kj/1 396 kcal)

Suggestion

Servis avec un feuilleté, ces potages sont encore plus alléchants.

Potage à la choucroute

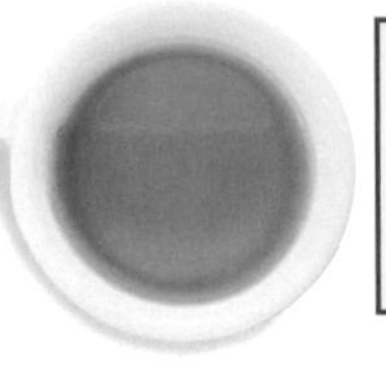

« Bouillon de pigeon » comme base.

Égoutter **400 g de choucroute en boîte.** Couper en dés **100 g de saucisse à la volaille.**

Faire revenir ces ingrédients, de même que **50 g d'oignons émincés,** dans **2 c.s. d'huile d'olive.** Mouiller avec **1 l de bouillon de pigeon.**

Laver et épépiner **200 g de raisins blancs.** Les incorporer au potage. Ajouter **50 ml de vin blanc. Saler** et **poivrer.**

Servir le potage parsemé de **fines herbes.**
(2 316 kj/551 kcal)

Potage akras-tomates

« Bouillon de pigeon » comme base.

Nettoyer, laver et couper en morceaux **200 g d'akras.** Nettoyer et hacher finement **1 petit piment.**

Cuire ces ingrédients, environ 6 minutes, dans **1 l de bouillon de pigeon.** Ajouter **2 gousses d'ail** épluchées et pressées.

Incorporer **100 g de tomates concassées.** Ajouter **3 c.s. de vinaigre de xérès. Saler, poivrer** et assaisonner de **paprika.**

Servir le potage avec des **rondelles de baguette.**
(1 466 kj/349 kcal)

Potage aux suprêmes

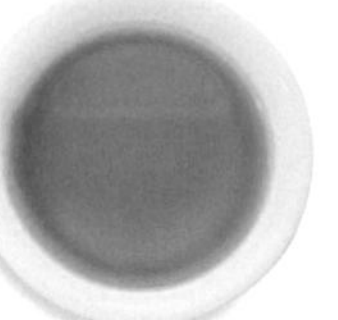

« Bouillon de pigeon » comme base.

Peler et émincer **2 petits oignons.** Laver et couper en tranches **200 g de suprême de caille.**

Nettoyer, laver et couper en lanières **100 g de pé-tsaï.** Mouiller avec **1 l de bouillon de pigeon.** Laisser frémir environ 8 minutes.

Ajouter **2 c.s. de sauce soja** et **1 c.s. de jus de citron. Saler** et **poivrer.**

Incorporer **50 g de fromage à tartiner** et servir.
(1 962 kj/467 kcal)

Crème céleri-carottes

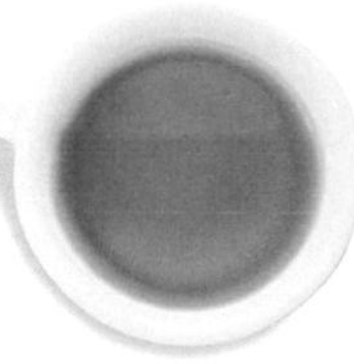

« Bouillon de pigeon » comme base.

Éplucher et couper en brunoise **200 g de céleri-rave** ainsi que **150 g de carottes.**

Faire cuire ces légumes dans **1 l de bouillon de pigeon** additionné de **3 c.s. de jus de citron** et d'**un peu de zeste de citron.**

Ajouter **un demi-bouquet de persil** lavé, essoré et ciselé. **Saler, poivrer** et assaisonner de **noix muscade.**

Servir la préparation.
(1 647 kj/392 kcal)

Potage épicé aux pois

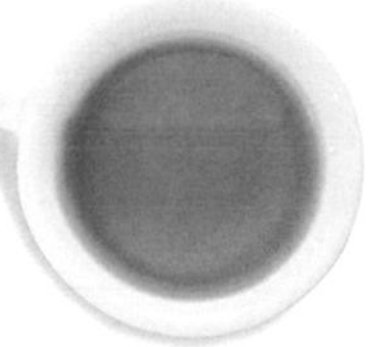

« Bouillon de pigeon » comme base.

Laver et essuyer **200 g de petits pois surgelés.** Les faire revenir dans **2 c.s. d'huile.**

Les assaisonner d'**un peu de noix muscade,** de piment et de cumin. Mouiller avec **1 l de bouillon de pigeon** et laisser frémir env. 8 min.

Ajouter **1 petit piment doux rouge** lavé et coupé en rondelles, **2 c.s. de xérès et quelques brins de coriandre** lavée, essorée et ciselée.

Servir le potage.
(2 084 kJ/496 kcal)

Potage courge-aneth

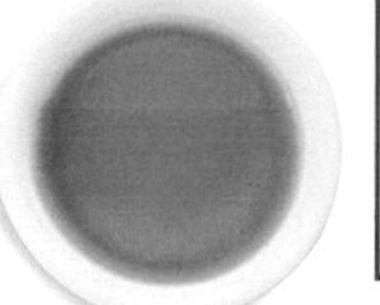

« Bouillon de pigeon » comme base.

Égoutter **600 g de courge.** Peler et émincer **1 oignon.**

Faire revenir le tout dans **3 c.s. de beurre aux fines herbes.** Déglacer avec **1 c.s. de vinaigre aux herbes.**

Mouiller avec **1 l de bouillon de pigeon. Saler, poivrer** et ajouter **un peu de sucre.** Mixer puis incorporer **quelques brins d'aneth** lavé, essoré et ciselé.

Servir le potage parsemé de **fines herbes.**
(1 956 kj/465 kcal)

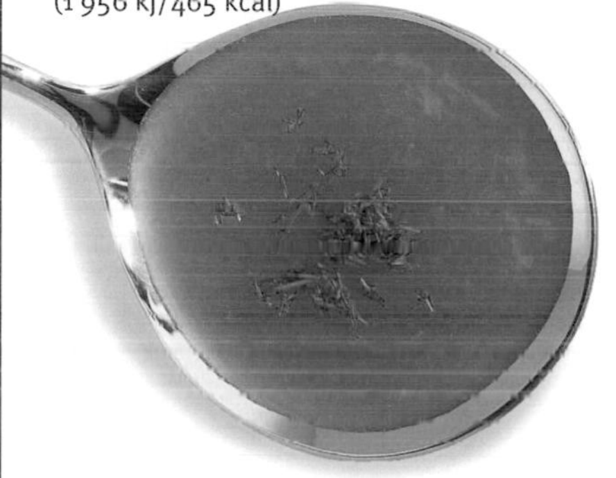

Bouillon de plantes potagères

Faire revenir dans **un peu d'huile 2 carottes, 1/4 de céleri-rave, 1 bulbe de persil, 300 g de poireaux et 2 oignons coupés en deux.** Mouiller avec **1,5 l d'eau.** Ajouter **2 baies de genièvre, 1 c.c. du mélange cinq-baies, 2 feuilles de laurier** et **quelques brins de basilic, d'estragon, de sarriette** et **de persil** lavés, essorés et ciselés. Assaisonner de **sel marin,** de **noix muscade fraîchement râpée** et de **sel au céleri.** Cuire à petit feu env. 1 heure puis filtrer le bouillon en le passant à l'étamine. Rectifier l'assaisonnement en **sel** et en **poivre.**
(429 kj/102 kcal)

Bouillon gourmand

Nettoyer, laver et couper en morceaux **200 g de pois gourmands.** Les faire revenir dans **2 c.s. de beurre au poivre.** Mouiller avec **1 l de bouillon de plantes potagères.** Laisser frémir environ 7 minutes. **Saler** et **poivrer.**
(894 kj/213 kcal)

Bouillon à l'orge

Faire tremper toute une nuit **100 g d'orge.** Ensuite, l'égoutter et en additionner **1 l de bouillon de plantes potagères.** Ajouter **1 gousse d'ail** épluchée et pressée. **Saler** et **poivrer** avant de servir.
(793 kj/189 kcal)

Bouillon à la roquette

Laver et couper en lanières **200 g de roquette.** La faire revenir avec **100 g de jambon blanc** dans **1 c.s. de beurre aux fines herbes.** Mouiller avec **1 l de bouillon de plantes potagères.** Laisser frémir env. 5 minutes.
(899 kj/214 kcal)

« Bouillon gourmand » comme base.

« Bouillon à l'orge » comme base.

« Bouillon à la roquette » comme base.

Bouillon riz-tomates

Cuire **150 g de riz complet** dans **1 l de bouillon gourmand.** Ajouter **3 tomates** pelées et concassées ainsi qu'**un peu de marjolaine.** Laisser frémir brièvement.

(1 482 kj/353 kcal)

Bouillon vénitien

Faire cuire **80 g de pâtes à potage** dans **1 l de bouillon gourmand.** Ajouter **50 g de fines herbes surgelées (mélange italien). Saler, poivrer** et assaisonner de piment.

(1 222 kj/291 kcal)

Crème au poivron

Dans **1 l de bouillon gourmand** additionné de **2 c.s. de sauce au chili,** cuire **150 g de poivrons** nettoyés, lavés et coupés en lanières. Ajouter **3 c.s. de yaourt** et de la **purée de poivron.**

(1 142 kj/272 kcal)

Bouillon orge-ail

Laver et couper en lanières **200 g de romsteck.** Faire revenir la viande, de même qu'un peu d'ail, dans **2 c.s. d'huile.** Mouiller avec **1 l de bouillon à l'orge.**

(1 506 kj/358 kcal)

Crème au cerfeuil

Laver, essorer et ciseler **un peu de cerfeuil** et l'incorporer à **1 l de bouillon à l'orge.** Lier avec **100 g de crème fermentée. Saler, poivrer** et assaisonner de **paprika.**

(1 041 kj/248 kcal)

Potage provençal

Faire revenir **50 g de légumes à ratatouille** dans **2 c.s. de beurre à l'ail.** Mouiller avec **1 l de bouillon à l'orge.** Laisser frémir environ 10 minutes.

(1 260 kj/300 kcal)

Potage fèves-marjolaine

Égoutter **200 g de fèves en conserve.** Les faire tiédir dans **1 l de bouillon à la roquette.** Ajouter **quelques brindilles de marjolaine** lavée et essorée.

(1 047 kj/249 kcal)

Potage riz-endives

Cuire **100 g de riz** (à cuisson rapide) dans **1 l de bouillon à la roquette.** Ajouter **150 g d'endives en brunoise** et laisser frémir env. 5 minutes. **Saler** et **poivrer.**

(1 302 kj/310 kcal)

Potage au mil

Verser **100 g de mil** dans **1 l de bouillon à la roquette** porté à ébullition. Laisser frémir environ 20 minutes. Incorporer des **graines de tournesol** grillées.

(1 430 kj/340 kcal)

Bouillon piémontais

« Bouillon de plantes potagères » comme base.

Nettoyer, laver et couper en lanières **300 g de pak-choï.** Laver et hacher finement **une demi-tige de citronnelle.**

Laver, essorer et ciseler **1 bouquet de persil.** Éplucher et hacher finement **1 gousse d'ail.**

Cuire tous ces ingrédients à feu doux, environ 7 minutes, dans **1 l de bouillon de plantes potagères.**

Saler, poivrer et assaisonner de **noix muscade fraîchement râpée.**

Faire pocher **4 œufs** dans de l'**eau additionnée de vinaigre.**

Servir un œuf par personne et l'arroser de potage.
(886 kj/211 kcal)

Velouté danois

« Bouillon de plantes potagères » comme base.

Nettoyer, laver et couper en rondelles **300 g de poireaux.** Peler et émincer **1 oignon.**

Éplucher et hacher finement **2 gousses d'ail.** Faire revenir le tout dans **2 c.s. d'huile d'olive.**

Mouiller avec **1 l de bouillon de plantes potagères** et laisser frémir environ 7 minutes.

Mélanger **4 c.s. de fromage frais, 3 c.s. de yaourt** et **2 cl d'Aquavit.**

Ajouter **2 jaunes d'œuf** au mélange et incorporer le tout à la préparation. **Saler** et **poivrer.**

Servir le velouté parsemé de **fines herbes.**
(1 353 kj/322 kcal)

Velouté de patates

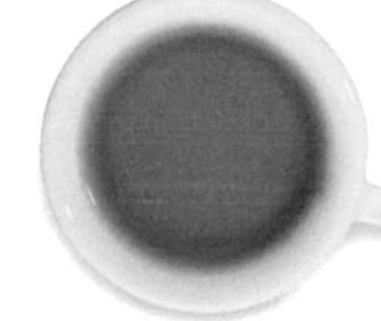

« Bouillon de plantes potagères » comme base.

Éplucher et couper en rondelles **200 g de patates douces.** Effiler, laver et couper en morceaux **100 g de céleri-branche.**

Faire revenir tous les ingrédients dans **2 c.s. de beurre aux fines herbes.** Ajouter **2 gousses d'ail épluchées et pressées** ainsi qu'**un petit morceau de gingembre** râpé.

Mouiller avec **1 l de bouillon de plantes potagères** et laisser frémir environ 6 minutes.

Laver, essorer et effeuiller **1 branche de romarin.** L'ajouter à la préparation de même que **2 c.s. de curry.**

Incorporer et faire tiédir **30 g de raisins secs** et **200 g de yaourt.**

Servir le velouté parsemé de **fines herbes.**
(1 276 kj/304 kcal)

Consommé à la scarole

« Bouillon de plantes potagères » comme base.

Laver, essorer et couper en lanières **200 g de scarole.** Peler et émincer **1 oignon.**

Faire revenir ces ingrédients dans **2 c.s. de beurre aux fines herbes. Saler, poivrer** et assaisonner d'un peu de **paprika.**

Ajouter quelques **filaments de safran.** Mouiller avec **1 l de bouillon de plantes potagères.**

Laisser frémir brièvement puis servir parsemé de **fines herbes.**
(802 kj/191 kcal)

Potage aux fines herbes

« Consommé à la scarole » comme base.

Éplucher et trancher finement **200 g de pommes de terre.** Les cuire environ 8 minutes dans de l'eau légèrement salée.

Laver, essorer et ciseler **quelques brins de persil, de ciboulette** et **d'aneth**. Retirer les pommes de terre de leur eau de cuisson.

Les incorporer, de même que **les fines herbes,** à **1 l de consommé à la scarole. Saler** et **poivrer.**

Quand les pommes de terre sont cuites, servir le potage.
(1 004 kj/239 kcal)

Potage dinde-scarole

« Potage aux fines herbes » comme base.

Couper en lanières **100 g de suprême de dinde fumé** et **100 g de saucisson de dinde fumé.**

Faire revenir dans **2 c.s. de beurre aux fines herbes.** Ajouter **1 gousse d'ail** épluchée et pressée.

Mouiller avec **1 l de potage aux fines herbes** additionné de **2 cl de gin.** Laisser frémir environ 6 minutes.

Servir le potage parsemé de **fines herbes.**
(1 577 kj/375 kcal)

Potage dinde-asperges

« Potage dinde-scarole » comme base.

Égoutter **150 g d'asperges en boîte,** les couper en morceaux et les faire tiédir dans **1 l de potage dinde-scarole. Saler** et **poivrer.** Ajouter **un peu de sucre** et **une giclée de jus de citron.**

(1 592 kj/379 kcal)

Potage aux noix

« Potage dinde-asperges » comme base.

Faire revenir **100 g de pleurotes** lavées et coupées en brunoise. Ajouter **100 g de cerneaux de noix** finement hachés. Mouiller avec **1 l de potage dinde-asperges** et laisser frémir brièvement.

(2 272 kj/541 kcal)

Potage parmentier

« Potage aux noix » comme base.

Chauffer **100 g de béchamel** et incorporer **100 g de gruyère râpé.** Mouiller avec **1 l de potage aux noix.** Laisser frémir brièvement. **Saler, poivrer** et assaisonner de **cumin en poudre.**

(2 860 kj/681 kcal)

Suggestion

Incorporer 50 g d'amandes pilées et un peu de sel à du blanc d'œuf monté en neige. Garnir les soupes de ce mélange et faire gratiner.

Potage aux salsifis

« Bouillon de plantes potagères » comme base.

Éplucher, laver, couper en morceaux et **citronner 400 g de salsifis frais** ou utiliser un produit en boîte.

Laver et couper en brunoise **100 g de pleurotes.** Les faire revenir avec les salsifis dans **2 c.s. d'huile.** Mouiller avec **1 l de bouillon de plantes potagères.**

Ajouter **un peu de sel marin, de poivre** et **de piment sec.**

Laisser frémir environ 8 minutes.
(1 106 kj/263 kcal)

Potage à la ciboulette

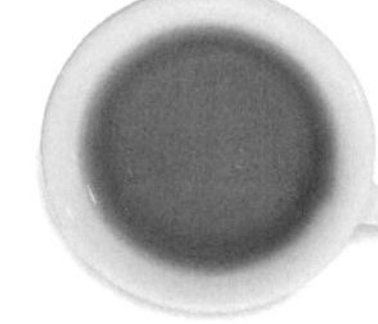

« Bouillon de plantes potagères » comme base.

Cuire env. 40 min **50 g de grains de blé vert** dans un peu de **bouillon de plantes potagères.** Nettoyer, laver et diviser en bouquets **200 g de brocolis.**

Les incorporer, de même que le blé et **1 bouquet de ciboulette** lavée, essorée et ciselée à **1 l de bouillon de plantes potagères.** Laisser frémir environ 5 minutes.

Saler, poivrer et assaisonner de **noix muscade fraîchement râpée.** Lier avec **3 jaunes d'œuf battus.**

Servir le potage parsemé de **fines herbes.**
(899 kj/214 kcal)

Potage aux mungos

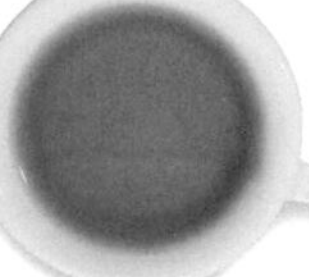

« Bouillon de plantes potagères » comme base.

Laver et essuyer **200 g de haricots mungo.** Peler et émincer **2 oignons.**

Cuire ces ingrédients, environ 6 minutes, dans **1 l de bouillon de plantes potagères.** Incorporer **50 g de pruneaux secs** finement hachés.

Ajouter **3 c.s. de vinaigre de vin de riz** et **2 c.s. de sirop d'érable. Saler** et **poivrer.**

Servir le potage parsemé de **fines herbes.**
(1 306 kj/311 kcal)

Potage au gouda

« Bouillon de plantes potagères » comme base.

Peler et émincer **300 g de gros oignons.** Les faire revenir dans **2 c.s. d'huile d'olive.**

Ajouter **200 g de carottes** et **de petits pois surgelés. Saler, poivrer** et assaisonner de **coriandre en poudre.**

Mouiller avec **1 l de bouillon de plantes potagères.** Laisser frémir environ 6 minutes. Râper **100 g de gouda.**

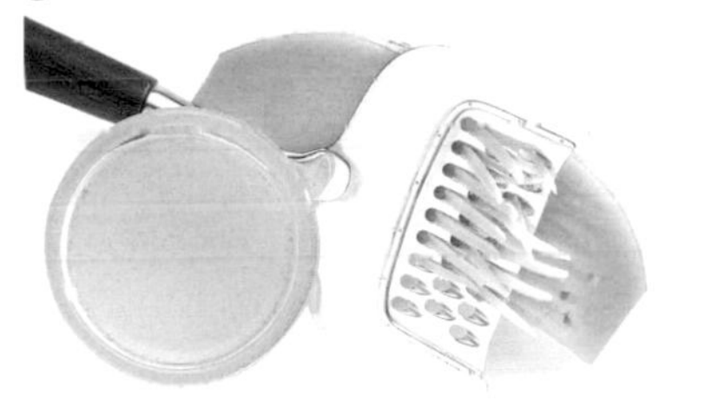

Le répartir sur le potage et faire gratiner au four chauffé à 18 °C.
(1 444 kj/344 kcal)

Potage Vichy

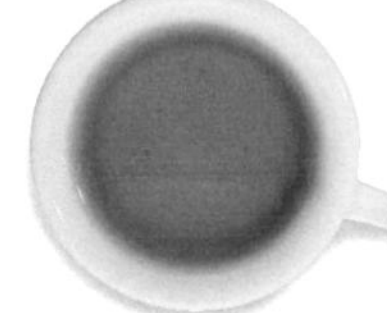

« Bouillon de plantes potagères » comme base.

Laver et couper en lanières **250 g d'escalope de porc.** Gratter et couper en rondelles **6 carottes.**

Faire revenir la viande dans **2 c.s. d'huile d'olive.** Saupoudrer d'**herbes de Provence (1 c.c.).**

Ajouter les carottes. **Saler, poivrer** et additionner d'**un peu de sucre.** Mouiller avec 1 **l de bouillon de plantes potagères** et laisser frémir environ 5 minutes.

Servir le potage.
(1 299 kj/318 kcal)

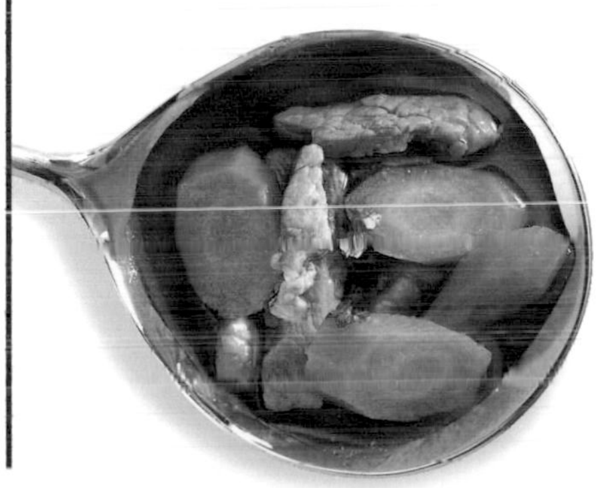

Potage au chou frisé

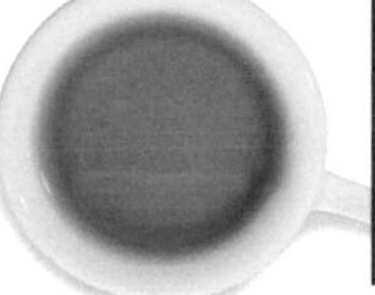

« Bouillon de plantes potagères » comme base.

Éplucher et couper en brunoise **2 pommes de terre.** Les cuire env. 12 min. dans **1 l de bouillon de plantes potagères.**

Écraser à la fourchette **200 g de corned-beef.** L'incorporer au bouillon de même que **150 g de chou vert frisé,** coupé en lanières.

Saler, poivrer et assaisonner de **cumin en poudre.** Faire revenir dans **2 c.s. de beurre 2 oignons** pelés et coupés en rondelles.

En garnir le potage au moment de servir.
(1 335 kj/318 kcal)

Recettes et variantes

P. 140 Potage au yaourt
1re variante : bouillon de légumes et de pigeon à parts égales.
2e variante : ajouter de la pâte tandori (en vente dans les épiceries asiatiques).
3e variante : ajouter des pois chiches grillés.
4e variante : utiliser des légumes surgelés, mélange « farmer ».

P. 140 Velouté des 4 saisons
1re variante : bouillon de légumes et de pigeon à parts égales.
2e variante : relever avec un peu de pâte wasabi.
3e variante : bouillon de pigeon et de veau à parts égales.
4e variante : relever avec des graines de moutarde grillées et grossièrement écrasées.
5e variante : ajouter un peu de gentiane.

P. 141 Bouillon aux épices
1re variante : bouillon de légumes et de pigeon à parts égales.
2e variante : remplacer le porc par de la dinde fumée.
3e variante : remplacer les pommes de terre par des topinambours.
4e variante : topinambours et panais à parts égales.

P. 144 Potage à la choucroute
1re variante : chou blanc fermenté et chou rouge en bocal à parts égales.
2e variante : bouillon de légumes et de pigeon à parts égales.
3e variante : réduire en purée la moitié des ingrédients et lier avec du fromage frais.

P. 144 Potage akras-tomates
1re variante : bouillon de pigeon et fond asiatique à parts égales.
2e variante : remplacer les gousses d'ail par du chutney de mangue ou de la mangue fraîche.
3e variante : épaissir le potage avec de la farine de pois chiches.

P. 144 Potage aux suprêmes
1re variante : remplacer le pé-tsaï par du pak-choï.
2e variante : bouillon de pigeon et de gibier à parts égales.
3e variante : assaisonner de cardamone et de cumin en poudre.

P. 145 Crème céleri-carottes
1re variante : utiliser du céleri-rave et du céleri-branche.
2e variante : bouillon de pigeon (3/4 l) et bière au malt (1/4 l).
3e variante : ajouter des pousses fraîches.

P. 145 Potage épicé aux pois
1re variante : bouillon de pigeon et de veau à parts égales.
2e variante : ajouter des boulettes faites avec du rôti de veau.
3e variante : réduire en purée la moitié des légumes et assaisonner de tabasco.

P. 145 Potage courge-aneth
1re variante : réduire en purée la moitié de la quantité de courge et lier avec du fromage frais aux herbes.
2e variante : bouillon de pigeon et de volaille à parts égales.
3e variante : faire tiédir dans le potage de la saucisse de volaille coupée en tranches.

P. 148 Bouillon piémontais
1re variante : remplacer le pak-choï par du pé-tsaï.
2e variante : bouillon d'herbes potagères et de canard à parts égales.
3e variante : réduire en purée la moitié des ingrédients et lier avec un peu de yaourt.
4e variante : remplacer le pak-choï par des bettes.
5e variante : bouillon d'herbes potagères et fond asiatique à parts égales.
6e variante : bouillon d'herbes potagères et bouillon de bœuf clair à parts égales.

P. 148 Velouté danois
1re variante : bouillon d'herbes potagères et fumet de homard à parts égales.
2e variante : réduire en purée la moitié des ingrédients et lier avec du bleu.
3e variante : mélanger du bleu et de l'Aquavit et faire gratiner.
4e variante : poireaux et oignons frais à parts égales.
5e variante : ajouter de la chair d'écrevisse cuite.
6e variante : ajouter du beurre au crabe pour que le velouté soit plus onctueux

P. 149 Velouté de patates
1ère variante : bouillon d'herbes potagères et d'agneau à parts égales.
2e variante : remplacer les raisins secs par des pruneaux.
3e variante : remplacer l'ail par des oignons frais.
4e variante : patates douces et salsifis à parts égales.
5e variante : bouillon de légumes et de poule à parts égales.

P. 152 Potage aux salsifis
1re variante : bouillon d'herbes potagères et de veau à parts égales.
2e variante : utiliser une autre variété de champignons.
3e variante : salsifis et panais à parts égales.
4e variante : 300 g de salsifis et 100 g d'asperges vertes.

P. 152 Potage à la ciboulette
1re variante : remplacer la moitié des brocolis par du chou-fleur.
2e variante : bouillon d'herbes potagères et de pigeon à parts égales.
3e variante : ajouter des noix de cajou finement hachées.

P. 152 Potage aux mungos
1re variante : remplacer carottes et petits pois par un mélange « farmer » de légumes surgelés.
2e variante : bouillon d'herbes potagères et bouillon de bœuf clair à parts égales.
3e variante : utiliser des oignons grelots coupés en deux.

P. 153 Potage au gouda
1re variante : remplacer carottes et petits pois par un mélange « farmer » de légumes surgelés.
2e variante : bouillon d'herbes potagères et bouillon de bœuf clair à parts égales.
3e variante : utiliser des oignons grelots coupés en deux.

P. 153 Potage Vichy
1re variante : remplacer le porc par du bœuf (romsteck ou filet).
2e variante : bouillon d'herbes potagères et bouillon de bœuf clair à parts égales.
3e variante : réduire les carottes en purée et lier avec de la crème fraîche aux fines herbes.

P. 153 Potage au chou frisé
1re variante : bouillon d'herbes potagères et d'agneau à parts égales.
2e variante : bouillon d'herbes potagères (3/4 l) et bière (1/4 l).
3e variante : remplacer le corned-beef par une autre viande en boîte.

Soupes allemandes traditionelles

Grands classiques internationaux

Le bouillon classique à la mode italienne, avec des œufs et du parmesan.

Aussi connu en Pologne qu'en Russie, ce plat est devenu populaire en France à partir des années 20, avec l'arrivée des émigrés russes.
Il existe bien des façons de préparer le borchtch et les ingrédients dont il se compose varient selon les occasions et les saisons. Des betteraves et un bouillon confectionné avec des os et de la viande restent cependant les ingrédients de base. Le borchtch peut comporter du jambon, du lard, des cèpes, des pommes, du chou-rave, des carottes, des plantes potagères, du chou blanc etc. Sa préparation dure entre trois et six heures.
Différentes viandes et volailles entrent dans sa composition : du bœuf et du porc mais aussi de l'agneau ou encore de l'oie ou du canard.

Cette célèbre soupe française est plus exactement une spécialité parisienne. Dans les anciennes Halles de Paris, celles que l'on devait à Baltard, on préparait avec du bouillon, du pain et du fromage de quoi rassasier, au petit matin, ceux qui avaient travaillé ou s'étaient amusés toute la nuit. La soupe à l'oignon peut être aromatisée avec du vin blanc, du madère et du porto, selon les goûts individuels de chacun.

Autre spécialité italienne, ce consommé était préparé à l'origine dans les abattoirs de Rome. Une fois le travail terminé, le personnel se régalait d'un consommé à base de viande et d'os, additionné d'œufs battus qui coagulaient sous l'effet de la chaleur. Un verre de vin ou de liqueur en exaltait la saveur. Dans le melting-pot culinaire qu'est l'Europe, ce consommé se prête à bien des variations. Dans ce livre, il est préparé par exemple avec du bouillon de poule.
Et ce n'est qu'une possibilité parmi tant d'autres.

Cette soupe de poisson est un mets typiquement autrichien, indissociable de la monarchie danubienne. Située bien audessus du Danube, la petite localité de Dürnstein était connue pour ses vignobles mais aussi pour son château fort dans lequel le roi Richard Cœur de Lion fut retenu prisonnier au Moyen Âge. On ignore s'il goûta cette soupe durant sa captivité. Toujours est-il que le Danube fournissait de délicieux poissons dont des aloses qui entrent dans la composition de cette soupe. L'Autriche est non seulement un pays riche en traditions, on lui doit aussi de nombreuses recettes de soupes qui sont le legs de ses contrées rurales.

Typique de la cuisine provençale, en particulier de Marseille, ce plat était préparé à l'origine au retour de la pêche. On allumait un feu de bois sur la plage et dans un grand chaudron on préparait un bouillon dans lequel cuisaient les poissons qui ne pouvaient être vendus sur le marché. Au fil du temps, ce plat de poissons bouillis et aromatisés a acquis une réputation internationale. L'authentique bouillabaisse se prépare avec de la rascasse et des poissons de roche. Comme sa composition varie, on ajoute souvent des crustacés et des coquillages. Elle est parfois servie avec des croûtons frottés à l'ail et de la rouille.

Cette soupe de légumes italienne compte parmi les grands classiques du genre. Chaque ménagère la prépare à sa façon, les recettes se transmettant d'une génération à l'autre. C'est la diversité des légumes choisis en fonction des saisons qui caractérise cette soupe. Il faut veiller avant tout à ne pas trop les cuire. Les légumes, quels qu'ils soient, doivent en effet rester croquants. Le minestrone est souvent servi avec du parmesan râpé.

Index des recettes

V

Z